水资源恢复的补偿理论与机制

张春玲　阮本清　杨小柳　著

U0286003

黄河水利出版社

图书在版编目(CIP)数据

水资源恢复的补偿理论与机制/张春玲,阮本清,杨小柳
著.—郑州:黄河水利出版社,2006.7
ISBN 7－80734－053－3

Ⅰ.水… Ⅱ.①张… ②阮… ③杨… Ⅲ.水资源
管理－研究 Ⅳ.TV213.4

中国版本图书馆 CIP 数据核字(2006)第 014777 号

出 版 社:黄河水利出版社
　　　　　地址:河南省郑州市金水路 11 号　　邮政编码:450003
发行单位:黄河水利出版社
　　　　　发行部电话:0371－66026940　　　传真:0371－66022620
　　　　　E-mail:hhslcbs@126.com
承印单位:黄河水利委员会印刷厂
开本:850 mm×1 168 mm　1/32
印张:7
字数:174 千字　　　　　　　　　印数:1—1 000
版次:2006 年 7 月第 1 版　　　　　印次:2006 年 7 月第 1 次印刷

书号:ISBN 7－80734－053－3/TV·452　　　定价:18.00 元

前　言

　　水是生命之源,是人类赖以生存的基本条件,是发展生产、繁荣经济、保障人类社会持续发展的不可缺少的物质基础。然而,自然的变迁、人类的存在与发展却给水的世界带去了重重危机。伴随着气候的变化和人类社会的发展,尤其是工业革命以来,水量过度开发、污水肆意排放等活动导致水资源不断遭受着严重破坏,地球上可供生产、生活、生态环境使用的水资源正在趋于极限。水资源危机将成为继耕地危机、石油危机之后的又一自然危机。

　　面对水资源危机,人类已逐渐认识到自身行为对水资源的伤害,清楚该是到了改正自己行为的时候了。那么,采取有效的手段恢复遭受破坏的水资源、合理地利用和保护水资源是保障我国水资源可持续开发利用,实现人与自然和谐相处的必要环节。本书试图立足理论与实践两方面,从水文学、资源经济学、微观经济学、环境管理学等角度,运用相关科学理论与研究方法,对水资源恢复的自然与人工两种手段进行分析论述,重点分析促进水资源恢复的经济手段。水资源恢复补偿是水资源恢复经济手段的主要方面之一。合理的补偿机制有助于维持正常的水循环和水体功能、保证水资源保护工作的良性开展、促进水资源的可持续利用。合理的补偿是调节社会公正公平、建立和谐社会,尤其是人与自然和谐相处的重要手段。目前水资源恢复的经济补偿问题业已引起了水资源管理部门的关注,对其研究具有理论探讨与现实指导的双重意义。本书的研究得到了中国水利水电科学研究院科研专项"水源地保护合理补偿机制研究"课题的资助。

　　本书在回顾国内外水资源恢复与补偿研究现状及发展趋势的基础上,明确界定水资源恢复和以水资源恢复为目的的水资源补偿的概念及内涵。运用自然界水循环原理与规律,阐述水资源可恢复性机理,探讨实施人工恢复活动与水资源数量及水体质量恢复的内在关系。继而从与水资源恢复补偿密切相关的价值补偿、竞争性用水补偿、水环境保护补偿、水源涵养与保护补偿等方面的理论与方法进行重点论述,并以首都圈(北京和天津)地区为例,对水资源恢复补偿问题进行实例分析。

特别感谢水利部水资源司原司长任光照教授、中国水利水电科学研究院何少苓教授对本书中的诸多观点提出的有益建议;中国农业科学研究院姜文来博士为本书稿的完成做出了颇有价值的技术咨询工作,在此谨致以衷心的谢意。

感谢中国水利水电科学研究院水资源所陈韶君教授、尹明万高级工程师、魏传江高级工程师、韩宇平博士后等给予的指导与帮助;感谢赵红莉博士、成建国硕士、蒋任飞博士、许凤冉硕士、孙静硕士等的帮助与支持;感谢荷兰 Delft 大学李荣超博士为我提供了大量外文资料;感谢所有关心和帮助过我的同志们。

在本书的写作过程中,作者参考了大量的文献资料,在此向所有参考文献资料的作者表示诚挚的敬意与谢意。由于参考文献很多,作者充分认识到在文献整理过程中,尽管努力地做了比较细致的工作,但仍可能存在有个别文献处理不当的地方,对于此类问题,作者向您表示真诚的歉意。

建立和完善水资源恢复的补偿机制是一项极其复杂的系统工程。它涉及经济、社会、资源与环境等多学科、多领域的系统性研究工作。目前国内外有关水资源恢复的补偿机制研究刚刚起步,系统的、可用于指导实践的理论与方法尚未成型,迫切需要广泛而深入的细致工作。本书也只是在水资源恢复补偿方面粗浅的研究,由于作者认知水平有限,可能存在一些错误与不足之处,敬请读者批评指正。

作　者

2006 年 1 月

目　录

第一章　绪　论

　　水是生命之源，是人类赖以生存的基本条件，是发展生产、繁荣经济、保障人类社会持续发展的不可缺少的基础。水是宝贵而又洁净的资源，是任何其他资源无法取代且有限的资源。水孕育着绿洲、滋润着生机、维系着繁荣，为人类的生存与社会的发展保驾护航。从古到今，人类社会文明兴衰无不与水息息相关。

　　然而，伴随着气候的变化和人类社会的发展，尤其是工业革命以来，水量过度开发、污水肆意排放，水资源不断遭受着严重破坏，地球上可供生产、生活、生态环境使用的水资源正在趋于极限，水危机将是继耕地危机、石油危机之后的又一自然危机。如何采取有效的手段恢复遭受破坏的水资源、合理地利用和保护水资源是保证我国国民经济可持续发展的关键。

第一节　水资源衰变现象及危害

　　水资源是自然界可供利用或有可能被利用的、具有足够数量和可用质量的水源（UNESCO，WMO，1988），是维持人类生存与生态平衡的基础资源。水资源具有其特殊的自然属性，遵循着一定的自然规律。水资源系统是一种动态的循环系统。水资源的循环特性使它在开采利用后，能够得到大气降水的补给。如果合理利用，水循环可以不断地供给人类利用，满足生态需求和天然补给之间的平衡。人类自诞生以来，长期与自然和谐相处，但是随着人类的不断发展与进步，这种和谐不断被人口的迅猛增长与经济的迅速增长所打破。水资源作为一种极为脆弱的自然资源，由于过度消耗和肆意排污，广大局部地区水资源正在遭受着严重破坏，区域水资源可持续利用受到威胁。

一、水资源衰变现象

(一)产水量减少

近几十年来,全球气温呈变暖趋势,再加上人为不合理的社会经济活动,植被覆盖率持续下降,土地荒漠化、草场退化等致使区域环境与生态进一步恶化。由于盲目利用土地资源、乱垦土地、破坏草场、滥砍乱伐森林等破坏了地表产水机制和地表水径流量的稳定性,减少了地表的蓄水能力,水源条件遭到了严重破坏。如我国黄河上游由于植被破坏等原因,从 20 世纪 90 年代以来,龙羊峡水库入库站的平均年径流量只有 169 亿 m^3,较正常年份减少近30%。1991~2001 年这 10 年的库区产水量只相当于正常年份 7年的产水量;台湾最近 10 年年平均降雨量为 2 493mm,年平均径流量为 639 亿 m^3,而 1949~1990 年间平均降雨量与径流量分别是 2 515mm 及 668 亿 m^3,近 10 年与之相比分别减少了约 0.9%及 4.3%,这表明近 10 年来台湾地区产水量和水资源供给量有减少趋势。

(二)河道断流

20 世纪 60 年代中期以来,我国海河流域中下游河道相继枯竭断流。除北部的滦河常年有水外,4 000 多 km 平原河道已全部成为季节性河流。永定河自 1965 年以来连续断流,"一条大河波浪宽"的情景已成为人们美好的回忆(王志民,2002);黄河是中华民族的母亲河,而在 20 世纪 70 年代,母亲河的下游频频断流,从1972~1997 年的 26 年间,有 20 年发生断流,特别是进入 90 年代,断流历时不断增长,1997 年累计达到 226 天。

产水量减少,需水量增加,是河道出现断流的主要原因。以黄河流域为例,20 世纪 50 年代黄河工农业及城市年均用水总量为122 亿 m^3,1990~1995 年期间年均用水量达到 307 亿 m^3,增加了

1.5 倍,增量占黄河年总径流量的 32%。而且,黄河流域 1990~1995 年年均降水量较 50 年代减少 12%,相应于花园口的天然径流量偏少了 21%,即水量减少 124 亿 m³。这些是 90 年代黄河下游断流年甚一年的主要原因(李文学,1999)。

(三)湿地湖泊萎缩

湿地是地球上介于陆地系统与水体系统之间由陆地系统与水体系统相互作用而形成的独特生态系统(崔保山,1999)。作为"地球之肾",湿地对于地球水循环非常重要,具有蓄洪防旱、调节气候、补充地下含水层、改善水质等作用。随着经济的快速发展和人口的不断增长,湿地保护面临着巨大的压力,除沿海湿地大幅减少、生物多样性急剧衰退之外,湿地水资源的过度利用和工业污染也给湿地保护造成了很大影响。我国著名的"八百里洞庭"比 20 世纪 50 年代初面积已缩小 40%,蓄水量减少 34%;作为无锡等城市供水水源的太湖,因其水质全面恶化已严重影响了供水功能;"华北明珠"白洋淀,自 20 世纪 60 年代以来出现 7 次干淀,干淀时间最长的一次是 1984~1988 年连续 5 年。

(四)水体污染

随着社会经济的发展,城市规模的不断扩大,用水量持续增长,排入江河湖库的废污水也不断增加,我国水污染呈恶化的趋势。水质降低加剧了水危机,使水资源的供给与需求矛盾更加尖锐。据中国环境状况公报公布,2002 年中国七大流域地表水普遍受到有机污染,在 741 个重点监测断面中,40.9%的断面属劣 V 类水质,30.0%的断面属Ⅳ、V 类水质,29.1%的断面满足Ⅰ~Ⅲ类水质要求(国家环境保护总局等,2002)。2003 年全国废污水排放量达 680 亿 t,比 1980 年增加了 2 倍多,约有 1/3 的工业废水和 2/3 的生活污水未经处理直接排入水体;2003 年全国七大江河水系的 407 个监测断面,仅有 38.1%的断面符合Ⅲ类以上水质标准。目前,50%的地下水被污染,40%的水源不能饮用,90%以上的城市水域污染严重。在 1993～1995 年水利部组织的全国水资源"质量评价"的 10 万 km 河长中,受污染的河长占 51%,污染极为严重的河道占 12%。与此同时,平原湖泊、浅层地下水均受到不同程度的污染。水体污染减少了可利用水资源量,加剧了水资源的短缺。引起水污染有两大因素:一是工业生产和居民生活向江河排放大量的未经净化处理的污水;二是农用化学物质的大量使用,造成水体的严重污染。

二、水资源衰变危害

由于受到气候变化和人类活动的影响,尤其是工业革命兴起以来,水量过度消耗、污水肆意排放,水资源不断遭受着严重破坏,随之而来引起了一系列社会、经济、生态及环境问题。并且随着经济、社会的发展,这些问题将越来越突出。

(一)社会问题

如前论述,水资源是人类社会生存发展的基本物质基础,而日趋严重的水资源衰减与水体污染逐渐引发了一系列社会问题,影响并制约着社会经济的稳定发展。首先,水资源短缺使得人类的饮水安全得不到保证,威胁人类的生存,社会的可持续发展便无从谈起;其次,水资源短缺影响了粮食安全。

另外,水体污染引起的社会问题其影响范围也在日益扩大。如 1955 年日本的富山县神通川地区含镉废水造成的"骨痛病"事件、1956 年日本的熊本县水俣湾沿岸含汞废水造成的"水俣病"事件,都震惊了世界。这一时期,英国的泰晤士河、美国的芝加哥河等,污染也十分严重,莱茵河也曾被虐称为"欧洲最大的下水道"。据世界卫生组织(WHO)调查,人类 80% 的疾病与水有关。国际自来水协会称:每年有 2 500 万 5 岁以下儿童因饮用受污染的水而生病致死。在发展中国家,每年因缺乏清洁卫生的饮用水而致死的人数达 1 240 万人。

(二)经济问题

不管是发展农村经济还是城市经济,不管是振兴传统产业还是开辟新兴产业,都必须有一定的水资源供给能力做支撑。水资源供给能力不够,经济只能限量发展,如果城乡出现"水荒",经济发展必然陷入困境。有关资料显示,水资源的短缺已经影响和制约了中国经济的发展。按照正常需求和不超采地下水计算,我国目前年缺水量约 $300\sim400$ 亿 m^3,若遇大旱年份,缺额更多。全国 668 座城市中有 400 多座缺水,其比例达 $2/3$,每年影响工业产值 2 300 亿元。近几年,北方连续大旱,天津、济南、青岛、大连等城市,不得不在夏秋之季牺牲工业企业利益,停止诸多工厂的生产以保障城市居民用水。没有引黄济青、引滦济津、引碧入连等调水工程,就难以保障今天青岛、天津、大连的繁荣和稳定。干旱缺水对农业造成的损失更为严重,全国一般年份农田受旱面积达 1 亿~3 亿亩,遇干旱年份,受旱面积更大。

(三)生态环境问题

在经济发展迅猛增长的势头下,为弥补经济发展水资源利用量的不足,人们常常以缩减或挤占生态环境用水暂时解决用水危机。而且,工业生产高耗水的同时,向外界排放大量的污水,这些污水直接进入周围的环境,又严重破坏了生态环境。我国是水资源严重短缺的国家,西北、华北和中部广大地区都有不同程度的缺水,不仅如此,严重的水污染又加剧了这些地区的水资源短缺。由于缺水造成了江河断流、湖泊萎缩、湿地干涸、土壤沙化、荒漠化等一系列的生态问题。水资源短缺与生态环境恶化是当今世界范围内普遍面临的严重问题。人类在开发利用水资源的过程中改变了生态环境,打破了生态平衡。人类为水资源开发利用过程中所造成的生态环境恶化问题已经付出了沉重的代价。

随着经济的发展和人口的增长,人们越来越清楚地认识到,水是维持自然界一切生命和社会经济持续发展所必需的资源。水在国计民生和社会经济发展中占有极其重要的地位。

第二节　水资源衰变成因简析

我国乃至全球不少地区存在水量减少、河湖湿地萎缩、水体污染等与水密切相关的问题,呈现出水量锐减、水质恶化的局面。分析造成这种局面的原因有利于端正开发利用水资源的行为,保护水资源。水资源衰减的原因很多,这里将其分为自然原因和人为原因两类进行简单分析。

一、自然因素

自然因素指由于气象因子、气候环境及下垫面条件等变化所引起的水量形成及水循环过程的改变。主要有:①天然降水量的减少直接影响水资源量的产生。水资源主要来源于水循环过程中的大气降水,气候环境的改变,影响了水汽的输送与降水条件,从而直接减少了陆地水资源的天然输入量;②气温的升高增大了水的蒸发,间接减少了地球水资源总量。蒸发是地面及地下水量损失的重要途径,蒸发量的大小影响到水资源的可利用量。然而,气温、风速、气压、湿度等是影响地面蒸发量大小的自然气象因素,近几年由于全球气温升高,增大了水的蒸发量;③地质条件决定地下水资源的储存方式,对地下水资源的开发利用会产生较大的影响。

二、人为因素

人为因素主要指人类在生产与生活过程中对水资源形成机理的影响,盲目开发利用水资源造成水资源数量与水体质量的改变。主要有:①盲目利用土地资源、乱垦土地、破坏草场、滥砍乱伐森林等造成对下垫面的破坏,改变了径流的形成条件;②人口迅速增长导致水资源过度使用,造成水资源量锐减;③用水浪费使得水资源利用率低下;④工业化的迅速发展,导致温室效应,增大了蒸发,加剧了水资源量的衰减;⑤工农业生产向江河排放污水引起水体质量日益恶化,减少了可利用水资源量;⑥水资源价值补偿不足导致水资源的供应能力萎缩等。水土资源流失、水污染、水资源价值补偿不足、全球气候变化等都与人类的活动有关。随着科学技术的进步,人类干预自然的能力也越来越强,相应对自然的影响也越来越大。

通过详细分析目前水资源衰变的现象及由此引发的各类问题,人类已经警觉:水资源危机日益逼近,而且愈演愈烈。分析引起这种衰变的成因告诉我们,端正水资源开发利用行为是缓解这种危机的客观要求,采取各种有效的措施进行合理的水资源恢复是水资源持续利用的迫切要求。

第三节　水资源恢复与补偿研究的意义

恩格斯在《自然辩证法》中写道:"我们不要过分陶醉于我们对自然的胜利。对于每一次这样的胜利,自然界都报复了我们。每一次胜利,在第一步确实都取得了我们预期的效果,但是,在第二步和第三步却有了完全不同的、出乎预料的影响,常常把第一个结果也取消了。"这一至理名言是对人类数千年文明史中人与自然之间关系的总结,也是对人类社会未来发展与进步的忠告,提醒人类应立即行动起来,合理开发利用资源、有效保护资源,保持人与自然的和谐相处。对于水资源利用而言,应当积极保护现有水资源,尽可能地恢复已经被损坏的水资源,制定科学合理的补偿机制,对保护水资源的行为给予应有的补偿,促进保护工作的持续进行;对仍然破坏水资源的行为要执行必要的惩罚制度,以遏制水资源破坏行为的继续。

一、水资源恢复与补偿的概念

(一)水资源恢复

"恢复"一词有多种解释。一般地,它意味着将一个目标或对象带回到相似于先前的状态,但可能并不是原始状态。修复、康复、重建、复原、再生、更新、再造、改进、改良、调整等均可以来解释恢复(Falk,1996;余作岳等,1997;任海等,1998;章家恩,1998,1999;Dikshit,1996;Faber,1983;Race,1986)。因此,恢复在实践中可能表现为一个更广泛的活动范围,从小范围的损害修补、修复,到彻底的重建和再生。美国国家研究委员会(NRC)曾研究了水生生态系统的恢复问题,认为恢复是"对先前受扰的水生功能以及相关的物理、化学和生物特性的重新建立"(Wheeler,1995)。最近,美国生态恢复协会(Society of Ecological Restoration,简称SER)将恢复定义为"有意识地对一个地区进行转换和改变,来建立一个确定的、原始的、有序的生态系统,这一过程的目标是仿效特定生态系统的结构、功能、生物多样性和动态来制定的。"(Henry,1995)。也就是说,通过人类的一些行为,使一个受干扰的或改变了的状态恢复到先前存在的或改变前的状态。然而,实践证明:为了恢复,没有必要使一个系统转换到原始状态,而且恢复到百分之百的原始状态是很困难的,也几乎是不可能的。目前,恢复已被用做一个概括性术语,泛指改良和重新建立退化的自然生态系统,并回复其功能潜力。

水资源是生态系统的主要组成部分,水资源恢复是生态系统恢复的重要环节,也是基础环节。人类自出现以来,就对水进行着干预。在干预初期的很长时间内,人类对水资源的影响从未达到引起人类注意的地步。然而,随着工业社会的到来,人类对水的干预越来越深入,导致水资源状态偏离理想状态越来越远,加之水资源系统的复杂性,想要恢复到理想的原始水资源状态是非常困难的,也是不现实的。

这里所提到的恢复主要是人工恢复。根据已有的关于恢复的定义以及水资源自身的特点,本书认为,水资源恢复就是通过各类人工活动或措施(包括工程技术、法律法规、行政措施及经济激励手段等),促使自然界中因各种原因在功能上受到损害的水资源恢复到能够凭借其自身水体净化能力来维持其一定的水体功能,将受到破坏的水循环过程通过水资源合理开发利用,达到能够凭借水循环过程的自身水量补给来实现水资源数量可持续利用的目标。简单地讲,水资源恢复就是使受损害的水体通过采用各类技术或手段,促使其原有的正常功能(指水量补给及自净能力)得以维持或发挥,满足经济、社会及生态环境等用水需求的行为。

人类需要积极采取行动,端正开发利用水资源的行为,还自然界曾经拥有的水环境。水资源恢复的目的是通过利用各种措施使受损水资源数量与水体质量两方面共同得到修复与弥补,回复到凭借自身能力达到持续利用的状态。

需要指出的是,受到损害的水资源,无论是质量方面还是数量方面都有"可恢复"与"难以恢复"的不同程度。对于"可恢复"的受损水资源可以通过实施各项人工措施来实现其恢复,如水体功能范围内的被污染水体的恢复等。而对于"难以恢复"的受损水资源,如过度开发水资源引起承压地下水水量损失的状况,即使采用人工措施也难以恢复,甚至无法实现其恢复。本书所研究的水资源恢复是指受到损害,但是具有可恢复潜力的水资源数量与水体质量的恢复。以下涉及的有关水资源恢复的描述与探索,均指"可恢复"水资源。

水资源恢复措施有工程措施与非工程措施。工程措施主要有水源保护工程、污水处理和资源化工程、节水工程、地下水回灌工程以及非常规水源利用工程等;非工程措施主要有法律措施、行政措施、宣传教育措施和经济措施等。其中水资源恢复经济措施在目前市场经济体制逐步完善的情况下,对水资源恢复的激励作用日益突出。它可以通过提高水资源的价格促进水资源合理的开发利用,通过扩大水污染收费的范围控制水污染的程度等。采用经济措施促进水资源恢复在一定情况下能起到事半功倍的成效。

本书主要针对水资源恢复的经济措施,对涉及水资源数量与水体质量保护的投入、污染治理成本、经济损失等,按照公平合理的原则实施经济补偿的机制进行研究,目的在于以此促进水资源合理开发利用,达到水资源数量与水体质量的有效恢复。这种以水资源恢复为目的的经济补偿,本书称之为水资源恢复补偿,简称水资源补偿。

(二)水资源补偿

首先我们来了解一下目前关于自然资源经济补偿的定义。所谓自然资源经济补偿是研究如何对自然资源以及其他诸如人力、信息、管理、技术、社会、基础设施等资源进行计价、折旧、核算,进而对整个社会再生产过程中消耗的一切物质劳动资料,进行必要的价值补偿和实物替换,探索合理调节人类经济活动和自然资源补偿之间的基本规律(孙毅,1991)。

水资源是珍贵的自然资源,对以水资源恢复为目的的经济补偿,即水资源补偿,本书将其定义为:水资源补偿是以恢复水资源、使水资源可持续利用为目的,以使用水资源者、从事对水资源产生或可能产生不良影响的生产者和开发者,以及水资源保护受益者为对象,以水资源保护、治理、恢复为主要内容,以法律为保障,以经济调节为手段的一种水资源管理方式,是对水资源价值及其投入的人力、物力、财力以及水资源开发利用引起的外部成本的合理补偿。

实施水资源补偿一方面可以抑制由于水资源利用不当造成的水资源价值流失、经济损失和生态环境破坏;另一方面可以筹集资金进行水源涵养、污染治理等水资源保护行为,促进受损水资源自身水量补给与水体功能的恢复,保障水资源可持续利用。实施水资源补偿是为了实现水资源恢复。总体来讲,现代水资源统一管理需要建立三个补偿机制,即"谁耗用水量谁补偿,谁污染水质谁补偿,谁破坏生态环境谁补偿"。同时,利用补偿建立三个恢复机制,即"恢复水量的供需平衡,恢复水质需求标准,恢复水环境与生态用水要求",这实际上也是本书进行水资源恢复的补偿机制研究的总体目标。

(三)水资源补偿类型

本书从水资源补偿的内涵、范围和水资源可持续利用等几方面考虑水资源补偿类型。从内涵来看,水资源补偿包含以下四种主要类型:

(1)使用补偿:为使用水资源但没有对水资源造成破坏的行为支付的补偿。如依法开发利用水资源而向国家支付的水资源费。

(2)污染补偿:向水体排放污染物而应支付的补偿。如向水体排放污染物而支付的排污费。

(3)受益补偿:因从其他人或其他地区的水资源保护行动中获得收益而应支付的补偿。如水资源保护受益区向出力区支付的补偿。

(4)损失补偿:从事对水资源系统有害的活动而应支付的补偿。如过量取水造成生态环境破坏而支付的生态环境建设补偿、竞争性用水造成他人经济损失支付的补偿。

本书将重点探讨体现水资源补偿内涵的上述四种类型的补偿机制。

从补偿发生的范围来看,本书认为水资源补偿可分为国内补偿和国家间补偿。

(1)国内补偿:在一国之内,有不同区域间的补偿和同一区域内补偿。这些区域或是部门在使用水资源时可能会对其他地区、部门产生影响,如竞争性用水、跨流域调水等,就需要一个地区或部门向另一个地区或部门进行经济补偿。另外,对致力于水资源保护的地区,其投入所取得成效会使其他地区受益,对于这些投入应得到相应的补偿。

(2)国家间补偿:由于水资源系统的整体性,使得一个国家在进行水资源活动时,有可能使另一个国家受益(如各国对国际河流上、中游的水资源保护使中、下游国家受益),也有可能对另一个国家的水资源产生严重影响(如水的跨国污染)。因此,水资源在国家之间,也应进行合理补偿。

从可持续发展的观点来看,本书认为水资源补偿又可分为代内补偿和代际补偿。

(1)代内补偿:指同代人之间进行的补偿。由于人类分处于不同国家、不同地区,而各地的经济、技术、环境的不同,使人们在资源利用上也存在差别,一些人过量使用或无偿享受水资源所带来的效益,使其他人受到损害或增加水资源利用支出,这就要求在同代人之间进行补偿。

(2)代际补偿:指当代人对后代人的补偿。可持续发展明确要求阻止"当代人获益,却把费用强加给后代人"的做法。根据帕累托改进准则,没有任何一个项目或政策会使所有人受益,改进的方法就是进行补偿。因此,如果一项政策会损害后代人的利益,就应对后代人进行补偿。这一般可以通过两个途径进行:建立代际基金和防止资本存量的衰减(桑燕鸿等,2001)。

二、水资源恢复与补偿研究的必要性和迫切性

水资源补偿是以水资源恢复为目的的经济活动,目前水资源现状对水资源恢复提出非常迫切的要求,同时也对水资源补偿活动提出非常迫切的要求。

(一)是缓解水资源危机的客观要求

水资源的短缺与水质恶化是全球面临的严峻问题,引发了众

多社会、经济及生态环境问题。世界上许多国家正面临水资源危机。20 世纪世界人口增加了 2 倍,而人类的用水却增加了 5 倍,这对人类和环境产生了巨大影响。当前,全球 1/5 的人得不到安全的饮用水,30 亿人缺乏卫生设施,致使每年有 300 万~400 万人死于由水引起的疾病。

我国水资源危机十分严重,人均水资源少,而且时空分布不均,全年降雨主要集中在 7~9 月,南方水多,北方水少。近 20 年来人口增加、经济的发展导致用水量急剧增加,如 1980 年我国总用水量为 4 437 亿 m^3,1993 年为 5 126 亿 m^3,到 2001 年达到 5 567 亿 m^3,而且还呈增长趋势。用水增长更加剧了水资源的短缺。这在北方地区尤为突出,有河皆干、有水皆污现象大量存在。如果目前的用水方式保持不变,未来生态系统的恶化和生物多样性的破坏将威胁人类的生存,缺水会成为制约经济发展和社会进步的重要因素。

水资源危机不仅仅表现在数量方面,而且同时表现在质量方面,水体质量下降也是导致水危机的重要原因之一。因此,开展水资源管理的研究,探讨水资源数量与水体质量恢复与保护的工程与非工程措施、管理方法和体系,以及相关的理论研究,解决我国水资源管理中的关键问题,是合理开发利用水资源的必然要求。

(二)是促进水资源可持续利用的基本要求

可持续发展是一项复杂的系统工程,要求经济、社会、环境的协调发展,三者之间息息相关,相互联系,相互制约。环境的可持续发展是经济、社会可持续发展的基础。水资源是环境的重要组成部分,为人类的演变与发展发挥了巨大的作用,没有水就没有地球生物,更没有人类的生存与发展。水资源的可持续利用是实现环境与社会发展相统一的关键和纽带。自然界一切现象的发生都以一定的条件为前提,水资源的可恢复能力也是在必要的内外界条件下才能得以实现。然而,伴随经济的发展,社会的主体在有意或无意间却打破了水资源恢复的循环链,造成水资源的可恢复机理破坏,人类的水量需求不能得到持续供给。为此,水资源可持续利用要求对受到破坏的水资源系统进行适当的恢复,以支持经济、社会、环境的可持续发展需求。

(三)是保障水资源保护顺利开展的基本要求

长期以来,资源的无偿或低价使用造成了资源的巨大浪费。水资源保护存在"少数人负担、多数人受益,贫困地区负担、富裕地区享受,上游投入、下游得利"等不合理现象,这些现状都加速了水资源数量的衰减与水体环境的衰退。为保证水资源保护工作的顺利进行,建立资源有偿使用、资源保护效益补偿、开发利用损失补偿等补偿制度是必要而迫切的。如新安江流域最大受益区是浙江省,而其上游地区的安徽省黄山市为保障新安江水库的入库水量与水质,采取了多项措施,花费了大量的人力、物力与财力对新安江流域水源区进行保护。为永久保护和利用好新安江流域的水资源,黄山市还需加大投资力度,完善基础设施建设。然而,仅靠黄山市的财力来承担生态保护项目的建设和建成后的运行管护难度极大,而且也尚不合理。根据我国《水法》第二十五条、第四十五条的规定,按照"谁受益,谁补偿,谁受益,谁投资"的原则,理应从新安江库区受益区以及下游受益城市,每年给予一定补偿性资助,方能体现资源保护公平合理的原则。

三、水资源恢复与补偿研究的现实意义

实施水资源恢复补偿有利于维持水循环的正常稳定和水体自我修复能力,保证资源保护工作的良性开展,促进水资源可持续利用,从而保障经济、社会持续发展。

(一)维持水循环的正常稳定

根据径流形成原理,大气中的水通过降水方式到达地面,扣除蒸发返回大气的水量、入渗土壤滞留水量后,产生的水量才是可利

用的。然而,水循环有严格的降水、产流、汇流、蒸发以及下渗等水文循环规律,每一个环节都需要合适的自然条件。但是,人类不当的活动会直接影响水文循环的某个或多个环节,引起水文循环受阻或被切断,从而造成水资源恢复能力的降低或破坏。而且,水资源是有限的,一旦水资源实际利用的速率超过了其更新的速率,或者对水质的破坏程度超出其自净更新能力,就会面临水资源数量与水体质量危机,造成水循环过程和生态环境的破坏。水资源恢复一方面可以从数量与质量上维持水资源的可恢复性循环过程,另一方面可以创造水资源可恢复性循环的自然条件,从而保障水循环的正常稳定进行。

(二)促进水资源的有效保护

"依法保护并合理开发土地、水、森林、草原、矿产和海洋资源,完善自然资源有偿使用制度和价格体系,逐步建立更新的经济补偿机制。"这是国家"九五"计划和2010年远景目标纲要早已明确提出的要求。有偿用水在我国早已实行,主要为计收水费和征收水资源费。当用户使用水资源后,一般会对自然水体产生两种影响,一种是消耗了部分水量,使自然水体总水量减少;另一种是排出水的水质与自然水体不一样,消耗了自然水体的环境容量,使自然水体功能发生变化。这两种影响对保护水资源和维持生态环境是不利的。为了保护水资源和维护生态环境,需要投入一定的劳力和资金减小或消除这种不利影响。众所周知,上游及水源区生态环境状况会对流域的产水量有较大的影响,生态环境良好,植被覆盖率高,则产水率也高;反之,产水率低。然而,保护上游及水源区生态环境需要较大的投入,而且水源区为保证用水区有足够的水量与优良的水质有时会在经济发展方面做出一定牺牲,如限制本地经济发展来降低用水量、减少污水排放等。对此,下游及受益区应当给予适当的补偿,以回报上游及水源区生态环境的正常需求。

此外,合理补偿水资源保护的投入与效益,促进水源保护工作持续有效地进行,运用经济手段调节用水过程的不合理行为,补偿用水不当造成的损失,达到公平用水的目的,亦是目前水资源开发利用过程中需要高度重视的问题。

(三)保障水资源的可持续利用

地球上的水资源数量是有限的,可利用水资源也是有限的,而用水需求似乎在无限制地增长。人口的增加、经济的发展、城市化进程的加快都是用水需求增长的因素。过多取用地表水,严重超采地下水,使可用水资源数量锐减。工业不适当的高速发展造成了环境的破坏,水环境受到污染,使得本已减少的水资源因质量下降而变得更加稀缺,这些均不利于社会经济的可持续发展。人们越来越意识到恢复水资源数量与水体质量势在必行。

合理的经济补偿可促进水资源的可持续利用。只有当水资源的可持续利用得以保障,才会有生态的可持续保护,才会有社会、经济和环境的协调可持续发展。水资源恢复是实现水资源可持续利用的必要环节。因此,研究科学合理且可行的水资源恢复的补偿机制将会具有重大的理论与现实意义和深远的历史意义。

第四节　水资源恢复与补偿研究动态

水资源是重要的生态环境资源,水资源的破坏影响了生态环境的持续稳定。实施水资源恢复与补偿是生态环境稳定存在的要求,并与生态恢复有密切的关系。国内外水资源恢复与补偿研究动态及趋势可以从生态恢复研究的动态开始谈起。

一、生态恢复实践伴随恢复生态学的发展

恢复生态学是一门关于生态恢复的学科,起源于100年前的山地、草原、森林和野生生物等自然资源管理的研究,其中20世纪

初期的水土保持、森林砍伐后再植的理论与方法在恢复生态学中沿用至今(Jordan,1987)。

生态恢复伴随恢复生态学的发展而得以进展,有关生态恢复的定义目前尚未有统一的认识,这主要是因为对恢复的程度有不同的理解。有观点认为,生态恢复是将受损的生态系统恢复到受损害前理想的状态(Cairns, 1995; Jordan, 1995; Egan, 1995; Hobbs和Norton,1996)。也有观点认为,由于缺乏对生态系统历史的了解、恢复时间太长、生态系统中关键种的消失、费用太高等,因此生态恢复可以根据具体条件通过修复、改善与再造等手段,使人类拥有一个适于生存发展的持续稳定的生态环境空间,在这个环境空间里人类的各项活动的开展不会受其条件约束,从而保证人类社会发展的可持续性,而未必需要恢复到一个原模原样的空间(章家恩等,1999)。

20世纪50~60年代,欧洲、北美和中国注意到各自的环境问题,开展了一些工程与生物措施相结合的矿山、水体和水土流失等环境恢复和治理工程,并取得了一些成就。从70年代开始,欧美一些发达国家开始水体恢复研究(Cairns,1995; 陈灵芝等,1995)。70~90年代,生态系统恢复实践与研究取得较大进展,先后提出了森林、草地、海岸带、矿地、流域、湿地和热带雨林等生态系统恢复研究(钦佩等,1998)。1985年,国际恢复生态学会成立。1991年,在澳大利亚举行了"热带退化林地的恢复国际研讨会"。1993年,在香港举行了华南退化坡地恢复与利用国际研讨会(Parham,1993)。1996年,在瑞士召开了第一届世界恢复生态学大会,强调恢复生态学在生态学中的地位,随后国际恢复生态学大会每年召开一次国际研讨会。最近几十年恢复生态学研究与实践得到迅猛发展。当前在恢复生态学理论和实践方面走在前列的是欧洲和北美,在实践中走在前列的还有新西兰、澳洲和中国。其中北美侧重于在水体和林地恢复方面的研究。

二、湿地恢复成果奏效

生态系统恢复中湿地恢复受到人类的特别关注。湿地是介于陆地和水体生态系统之间的过渡地带(崔保山,1999),对于地球水循环非常重要,具有蓄洪防旱、调节气候、补充地下含水层、改善水质等作用,同时具有过渡带的脆弱性特征。目前全球湿地生态系统正在受到严重的改变和损害,这种变化和破坏的程度大于历史上任何时期。

在受损湿地恢复与重建方面,美国开展得较早。美国自殖民时期以来,已经有 50% 的湿地消失,即使现在也仍然以每年 8 000~16 000hm^2 的速度消失(Mistch,1994)。为保护湿地,美国于 1977 年颁布了第一部专门的湿地保护法规。从 1975~1985 年的 10 年间,美国联邦政府环境保护局(EPA)清洁湖泊项目(CLP)的 313 个湿地恢复研究项目得到政府资助,包括控制污水的排放、恢复计划实施的可行性研究、恢复项目实施的反应评价、湖泊分类和湖泊营养状况分类等。1988 年,水科学和技术部(WSTB)就国家研究委员会(NRC)所从事的湿地恢复研究项目评价和技术报告进行了讨论。1989 年,水科学技术部的水域生态系统恢复委员会(CRAM)开展了湿地恢复的总体评价,包括科学的、技术的、政策的和规章制度等许多方面。1990~1991 年,NRC、EPA、CRAM 和农业部(MA)提出了庞大的湿地恢复计划,在 2010 年前恢复受损河流 64 万 km^2、湖泊 67 万 hm^2、其他湿地 400 万 hm^2(US National Research Council,1992)。计划实施的最终目标是保护和恢复河流、湖泊和其他湿地生态系统中物理、化学和生物的完整性,以改善和促进生物结构与功能的正常运转。在 1995 年,美国开始实施了一项总投资为 6.85 亿元的湿地项目,旨在重建佛罗里达州大沼泽地,该项目计划 2010 年完成(Kusler,1994)。此外,联邦政府划拨了 2 亿美元的专项经费用于密西西比河上游的生态恢复,湿地的生态恢复是其中重要的组成部分(Johnston,1994)。

欧洲的一些国家如英国、瑞典、瑞士、丹麦、荷兰等在湿地恢复研究方面也有了很大进展(Henry,1995)。例如,英国的莱茵河流域是欧洲人口最稠密、污染最严重的流域。为了恢复莱茵河下游河漫滩(湿地)的功能,英国政府拟将夏季的堤坝拆除,以使洪水能够顺畅流动,从而改善水质和动植物群落。同样,为了防洪、提高生物多样性和生态多样性、改善水质等,拟恢复莱茵河上游河漫滩(湿地)的天然性(Henry,1995)。在西班牙的 Donana 国家公园,采取安装水泵向沼泽补水的方式,补偿减少的河流和地下水流。在瑞典,30%的地表由湿地组成,包括河流和湖泊。由于湿地的不断退化,有些学者已经建议并提出方案来恢复浅湖湿地,提高水平面或降低湖底面,或结合这两种方法(Larsson,1994)。在欧洲的其他国家,如奥地利、比利时、法国、德国、匈牙利等已经将恢复项目集中在泛滥平原区。1993 年,大约 200 多位学者聚集在英国谢菲尔德大学讨论了湿地恢复问题,为更好地进行湿地的开发、保护以及科学研究,科学家们就如何恢复和评价已退化和正在退化的湿地进行了广泛交流,特别在沼泽湿地的恢复研究上发表了许多新的见解。在 1995 年,出版了这次会议的论文集《温带湿地的恢复》,从沼泽湿地恢复的基本理论到实践,文中都有详尽的论述。可以说,通过这次会议,对湿地恢复的研究又进入了一个新的领域。

在亚洲,印度的 Rihand 河由于大量伐林、筑坝、工业化和露天采矿等,其河岸生态系统正迅速退化。目前通过采取禁止放牧、禁挖草坪、污水分流及处理等保护措施,较好地恢复了植被,改善了日益退化的水质和河岸生态系统(Ambasht,1994)。越南的 Mekong 三角洲在战争期间大量排水,导致了 750 000hm^2 的潮汐和淡水湿地严重的水文和生态退化。为了恢复该湿地,从 1988 年开始,当地通过筑坝围水对一片 7 000hm^2 湿地的天然水文过程进行恢复(Beifuss,1994)。

相对而言,我国对湿地恢复的研究开展得比较晚。70年代,中国科学院水生生物研究所首次利用水域生态系统藻菌共生的氧化塘生态工程技术,使污染严重的湖北鸭儿湖地区水相和陆相环境得到很大的改善,推动了我国湿地恢复研究的开展。接着相继对安徽巢湖、武汉东湖(倪学明等,1995)、江苏太湖(许木启等,1998)以及沿海滩途等湿地开展恢复研究。在过去的十多年中,各科研单位和大专院校在我国的湿地现状及变化趋势,生态系统退化的防治对策,资源的持续利用等方面做了大量工作,这些工作主要侧重于湖泊的恢复。

关于生态恢复的技术,目前我国主要采用的还是截污、清淤、水利调控、藻类控制等以市政工程、水利工程为主的技术手段。如我国国家级自然保护区,丹顶鹤的故乡——扎龙湿地,近年来,由于连年干旱,面临巨大的缺水威胁。自然形成和养育扎龙湿地的水源日益减少,造成湿地萎缩、退化,荒火频繁发生。丹顶鹤类等珍禽栖息地不断缩减,生物多样性受到破坏。从2001年7月到2003年4月底,黑龙江省中部引嫩工程管理处连续3年从150km外的嫩江调水,共向扎龙湿地补水4亿多立方米。连续3年的生态补水使扎龙湿地渐渐恢复了生机。然而,对污染控制和水体修复,尚缺乏系统研究、成套技术和应用示范工程。今后的发展及关注焦点必然会转移到河流、沼泽、河口湾等湿地上,只有这样,才能推动我国湿地及水体恢复研究的全面发展。

三、水资源恢复逐渐引起重视

(一)水污染治理成效显现

全球湖泊的污染与生态环境退化早在20世纪50年代就已经开始出现了,经过半个世纪的努力,美、欧、日本等国耗资几千亿美元,对湖泊污染进行了系统治理,在这个过程中研究出一系列较为有效的技术和方法。例如在面源污染防治方面的重建技术；利用基因工程方法构建湖岸植物、重建水生植被技术等都取得了显著成效。在蓝藻水华控制技术方面，国际上通用的方法主要有：物理法(磁法除藻、超声播除藻技术等)、化学法(化学药剂、植物提取液等)、生物法、生态法、底泥污染控制法(清淤法、覆盖法、固化法、隔离法等)。

美国在1973年就开始实施清洁水法案，这项法案的实施已阻止数10亿磅的污物排入河川，来自工厂、下水道污物处理厂和土壤侵蚀的污染也大幅度减少。为了达到清洁水法案原先制定的目标：每一个美国人都能在所有河川、湖泊和沿海地区游泳和钓鱼，1997年10月美国副总统戈尔已下令农业部和环保署与其他联邦机构和民众合作拟订一项积极的行动方案，以减少水污染。克林顿总统接着在1998年国情咨文演说中宣布了新的清洁水行动计划，提议在1999年度编列5.68亿美元的预算，加强公共卫生保护，保护社区水源以及控制社区的污物排放。

欧盟在1970年就开始制定了保护水源和河川的政策，当时主要通过立法保护来自河川及其他水源的水的品质，并集中力量制定水质标准，严格规范饮水的品质及海水与河水的品质。到1990年，欧盟已开始就一般的水源进行管理，并通过了两项立法，即严格规范市区及郊区废水处理和严格规范农业硝酸钠的使用。目前欧盟正在进行解决水源和河川污染的第三批行动，将制定更加严格的防止水污染制度。

(二)开源节流途径广泛

雨水利用是一项古老的使用技术，早在公元前2000多年的中东地区，就有收集雨水用于生活和灌溉。在阿富汗、伊朗、巴基斯坦和我国新疆，2000多年前就建造了坎儿井用于灌溉。20世纪中期，以色列制订了"沙漠花园"计划，实施多种形式的雨水集蓄工程，在沙漠上种出了庄稼。80年代以来，雨水集流系统得到迅速发展。在一些多雨的国家也得到发展,雨水利用范围也从生活用水向城市用水和农业用水发展,如亚洲的尼泊尔、菲律宾、印度和泰国,非洲的肯尼亚、博茨瓦纳、纳米比亚、坦桑尼亚和马里等国。工业发达国家,如日本、澳大利亚、美国、新加坡、法国、瑞典等国都在开发利用雨水(张祖新,1999)。雨水的集蓄与利用增大了地表水资源的利用率。

污水处理和再利用是节水和增加水源的另一个有效措施,在水资源短缺地区得到了有效的应用。以色列是一个水资源严重短缺的发达国家,淡水资源十分有限,而以色列不仅有水污染控制的严格法律,而且非常重视废水的回收利用,是世界上废水利用率最高的国家,城市废水回收率在40%以上,以色列计划到2010年农业用水将有1/3以上使用废水。净化后的污水用于农业灌溉,缓解了缺水的矛盾,使更多的优质淡水可以用于家庭用水和其他用水,同时还减少了污染,保护了生态环境(郭纯,2002)。我国早在20世纪50年代就开始采用污水灌溉的方式回用污水,但真正将污水深度处理后回用于城市生活和工业生产则是近20年才发展起来的。最先采用污水回用的是大楼污水的再利用,然后逐渐扩大到缺水城市的各行各业。1990年我国将"污水净化与资源化技术研究"列入"八五"国家科技攻关计划,组织了城市污水资源化和土地处理与稳定塘系统的科技攻关并建立了示范工程,研制了成套技术设施并推广应用,其中部分研究成果已经应用于天津纪庄子污水处理厂的改造工程中。

20世纪70年代以来,大多数沿海国家由于水资源问题日益突出,都直接卷入了海水淡化的发展潮流。早在60年代,以色列就已开始研究咸水淡化的方法(游进军,2003)。目前,无论是中东的产油国还是西方的发达国家,都建设有相当规模的海水淡化厂或海水淡化示范装置。截至1997年底,全世界淡化水日产量已达2 300万t。仅海水淡化装置的年销售额在90年代就达到了20

亿美元,且仍在高幅增长之中。除了中东和地中海国家,南亚、中亚和非洲也有众多的海水淡化潜在用户,海水淡化的国际市场也具有相当的规模。我国研究海水淡化技术起始于 1958 年,起步技术为电渗析,1965 年开始研究反渗透技术,1975 年开始研究大中型蒸馏技术。到目前为止,反渗透法、多效蒸馏法、多级闪蒸法、低温压汽蒸馏法等都在国内海水淡化实践中有所应用。

(三)地下水回灌技术不断发展

地下水回灌有利于恢复地下水资源的存储及循环条件。国外长期以来非常重视地下水人工回灌技术的研究和应用,研究涉及面较广,主要包括回灌方式的选择、回灌水源的选择、回灌技术、如何处理回灌引起的堵塞问题以及回灌水的水质问题等。美国洛杉矶大都市的西部流域城市水资源区(West Basin Municipal Water District)为恢复地下水,并防止海岸区海水向内陆的入侵,发展了人工地下水的回灌,回灌的水源包括引水与利用污水处理厂回收处理好的水(刘昌明,2003)。

美国 Pyne 于 1976 年首次提出"地下水含水层储水和再利用"(Aquifer Storage and Recovery,简称 ASR)的井灌新概念(Pyne,1995),直到 80 年代中期该技术才得以应用于实际井灌中。现在对地下含水层的人工回灌和再利用技术国际上通称为 ASR 技术,该方法区别于一般井灌的重要标志是它本身具有双重目的:回灌和再利用,它所附带的水泵同时具有回灌和冲洗堵塞的功用,而地面入渗回灌和一般的井灌只能达到将水注入地下含水层这样一个单个目的。井灌除了能将雨水进行简单的处理以供回灌之外,还能利用土壤的自净能力,进行废水处理和贮存废水(Lucas,1994;Takashi Asano,1985),这样对解决干旱、半干旱地区的环境保护和水资源紧缺问题可以起到一举两得的作用,因此废水处理回灌和再利用也是 ASR 应用的一个重要方面。另外,加拿大、以色列、英国、荷兰、澳大利亚、印度等国都在发展自己的 ASR 技术,特别应指出的是,因为在提供饮用水方面,ASR 技术较采用地面水库贮存和处理水更加经济合算,所以美国已有私人公司积极参与其中。

目前,与水资源恢复相关的治污、开源、节流等技术研究与实践日益得到重视,并不断得以发展,为进一步的恢复工作提供了大量的技术支持与实践经验。

四、资源价值与资源保护补偿亟待研究

水资源价值补偿与水资源保护投入补偿是保障水资源恢复顺利实现的必要条件,然而有关这方面的研究与实践尚处于起步阶段,亟待继续发展。

(一)资源价值补偿

资源补偿首先是资源价值的补偿。水资源价值补偿不足的主要原因是水资源价值核算不清。

对水资源价值的研究,从 20 世纪 70 年代初期挪威开展的自然资源核算研究开始,到 80 年代中期以来,世界上已有美国、加拿大、荷兰、日本、德国等 20 多个国家政府和研究机构进行了自然资源核算理论方法的研究与探索,同时对水资源价值及水环境价值的补偿提出了具体实施的措施。美国、巴西、德国等国家先后实施征收包括水资源在内的资源税用以补偿与恢复资源价值的耗费;美国、澳大利亚、加拿大、丹麦、芬兰、德国、希腊、墨西哥、荷兰、挪威、西班牙、瑞士等国家自 70 年代起开始征收排污费(税)来补偿水环境价值的耗费(马中,1999)。

我国对自然资源价值的研究始于 20 世纪 80 年代中期左右,在自然资源有价、有偿使用及定价问题等方面发表了一系列的研究成果(李金昌等,1999;姜文来,1999;孙毅等,2001)。从此,一些学者开始从自然资源的价值构成不完整入手,揭示补偿不足导致自然资源枯竭、生态恶化的现实,并将经济学中的经济补偿理论、资源分配理论引入到对资源环境问题的研究中来,深入探讨了自

然资源价值的若干问题,为进一步开展自然资源价值补偿问题提供了新的思路与方法。80年代我国开始在部分地区征收水资源费,经过20多年的不断推广,目前已有27个省(市)开征水资源费,水资源费征收范围在不断扩大,然而其征收体制依然需要进一步完善,全国统一的水资源费征收管理办法也即将出台。

尽管近几年来对水资源价值有所认识,采取了相应的行政或法律手段扭转补偿不足的被动局面,但是,由于对水资源价值理论的研究不够深入,致使所采取的补偿措施缺乏广泛的经济社会基础,最终结果是政府干预行为过于集中和强硬,市场行为和经济杠杆的作用又过于薄弱,导致期望与现实相差甚远。

(二)资源保护补偿

除资源价值补偿外,对水源区保护的利益补偿也是区域利益补偿的一个比较典型的情况。一方面,水源区保护水源要承担因保护库区生态环境和水质的需要而使生产和生活活动受到限制等经济损失;另一方面,因为受益的是下游地区,所以通过恰当的利益补偿机制对水源区进行补偿是必不可少的。日本在早期就迫切地感到建立水源区利益补偿制度的需要。1972年制定的《琵琶湖综合开发特别措施法》在建立对水源区的综合利益补偿机制方面开了先河。1973年制定的《水源地区对策特别措施法》则把这种做法变为普遍制度而固定下来。目前,日本的水源区所享有的利益补偿共由3部分组成:水库建设主体以支付搬迁费等形式对居民的直接经济补偿,依据《水源地区对策特别措施法》采取的补偿措施,通过"水源地区对策基金"采取的补偿措施(林家彬,2002)。

我国台湾地区各水系中上游的地方政府(县、市、乡、镇)因受水源、水质、水量等相关法令之限制,不仅产业受到限制,而且需负起水源涵养、水土保持及维护生态环境责任,影响其经济发展,导致财政短缺。而下游地区的地方政府却享水利之便,工业、商业及农业蓬勃发展,财政充裕。据此,台湾省咨议会第二届第一次定期大会议员颁布临时提案,建议中央应制订补偿办法,补偿因水资源开发而受限的地方政府。我国其他水源保护地同样普遍存在这种现象。

我国比较系统地对公益林生态效益补偿进行了研究,根据公益林发挥效益的大小,探索了公益林效益补偿的理论依据与补偿标准,并且明确了补偿范围与补偿对象(宋晓华,2000)。南京农业大学的宗臻铃在 2000 年提出了有关生态重建的经济补偿方法。该方法是根据马克思的劳动价值理论和人们对生态价值的认识过程,运用生长曲线模型和恩格尔系数相结合进行分析,建立了区域生态重建的经济补偿模型。该模型确定了各受益对象对生态重建进行经济补偿的支付意愿,构建了具有可操作的区域生态重建的经济补偿方案(宗臻铃,2001)。水源涵养林建设对保护水源产生了巨大的效益,近几年水源保护林效益补偿得到认识,研究工作得到开展(廖浪涛等,2000;吴水荣等,2000),但是合理的补偿理论与方法还有待进一步完善。

此外,我国一些省市也积极开展了生态补偿的试点示范工作。在广东,早在 1995 年就试行了向水电部门每度电增收 1 厘钱,将增收的费用付给上游农民的政策。海南省于 1996 年制定了每吨生活用水加收 0.5 分钱、工业用水加收 1~2 角钱的政策以收取生态补偿基金。贵州省从 1999 年开始从每吨煤炭中收取 5 元钱用于植被恢复。浙江省 2002 年下发《森林生态效益补助资金管理实施办法》,每年每亩重点防护林和特种用途林补助 7 元。广西、江苏、福建、辽宁、广东、河北、云南等省(区)已经制定了生态环境补偿费征收管理办法,对矿产、土地、旅游、水资源、森林、草原、药用植物等资源开发和电力建设方面已经进行了一些征收生态环境补偿费的有益尝试(杨从明,2005)。这一系列的工作目的在于促进生态环境与资源的有效保护。

建立和完善水资源恢复的补偿机制是一项比较复杂的研究,

它涉及社会、经济、资源与环境等多个领域,要求国家的宏观管理政策、经济政策、行政法律法规制度相互配合共同实现。目前国内外可以借鉴的经验不多,尚属一项开拓性的研究。

第五节　本书研究目标、思路及内容

一、研究目标

本书研究的主要目标是探讨水资源恢复的补偿理论基础,对涉及水资源数量与水体功能恢复的保护投入与效益、污染治理成本、经济损失等,按照公平、合理、有效的原则进行经济补偿研究,建立系统的水资源恢复补偿机制,促进受损水资源数量与水体功能的恢复,实现水资源公平合理的利用。

二、研究思路

基于经济可持续发展与水资源开发利用相互协调的原则,从水资源恢复的补偿理论、方法与实践三部分进行分析。

(1)理论。从水循环的一般规律入手,首先探索水资源的可恢复性机理,分析水资源恢复的水文理论基础;再从经济学角度分析水资源补偿的经济理论基础,包括水资源有偿使用理论,水资源准公共物品理论,水资源利用的外部性理论等;并且从环境经济学角度探讨水资源价值的构成和评价方法,分析研究水资源价值随着水流运动发生的传递规律,建立水资源价值过程传递模型,揭示水资源价值传递与水文循环之间的内在规律。

(2)方法。研究分析水资源恢复的措施与方法。其中利用经济手段来促进水资源恢复是本书研究的重点内容,即前述的关于水资源恢复的补偿机制研究。依据水资源补偿的经济理论,分析水资源利用过程中涉及到的经济补偿内容,主要包括水资源有偿使用、竞争性耗水补偿、水资源环境成本补偿、水源涵养与保护投入及经济损失补偿、水源区生态建设效益补偿等。具体探讨各项补偿范围、补偿标准确定、补偿途径和补偿监督机制等有关内容。

(3)实例。结合首都圈水资源保障体系研究,应用上述水资源恢复的补偿理论与方法,分析首都圈水资源开发利用中的补偿问题。内容包括:对首都圈用水地区由于取用水量引起水量减少、水质衰退,进而给社会、经济及环境造成的损失,采取必要的价值补偿、污染补偿、水资源受益区对水源区建设与保护工作的合理补偿等。

本书的分析路线如图 1-1 所示。

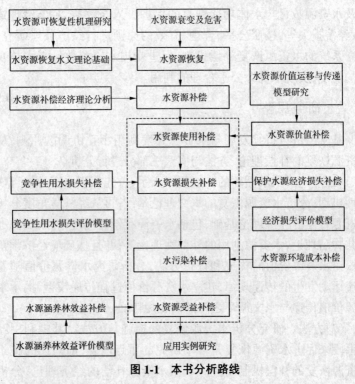

图 1-1　本书分析路线

小 结

通过对全球范围内水资源衰变现象及其危害进行阐述与成因分析,引出了本书研究的主题——水资源恢复的补偿机制。综述了国内外有关生态恢复、湿地恢复和水资源恢复等相关研究领域发展态势,论证了进行水资源补偿研究与实践的重大现实意义。对本书将要开展的研究工作进行了介绍,包括研究目标与研究内容的确定,研究思路与研究路线的制定等。

在本章的阐述过程中,作者首次尝试对研究目标所涉及的水资源恢复、水资源补偿等主要概念进行了界定。

(1)水资源恢复就是通过各类人工活动或措施(包括工程技术、法律法规、行政措施及经济激励手段等),促使自然界中因各种原因在功能上受到损害的水资源回复到能够凭借其自身水体净化能力来维持其一定的水体功能,将受到破坏的水循环过程通过水资源合理开发利用,达到能够凭借水循环过程的自身水量补给来实现水资源数量可持续利用的目标。简单地讲,水资源恢复就是使受损害的水体通过采用各类技术或手段,促使其原有的正常功能(指水量补给及自净能力)得以维持或发挥,满足经济、社会及生态环境等用水需求的行为。

(2)以水资源恢复为目的的经济补偿,本书称水资源补偿,是以恢复水资源、使水资源可持续利用为目的,以使用水资源者、从事对水资源产生或可能产生不良影响的生产者和开发者、以及水资源保护受益者为对象,以水资源保护、治理、恢复为主要内容,以法律为保障,以经济调节为主要手段的一种水资源管理方式,是对水资源价值及其投入的人力、物力、财力以及水资源开发利用引起的外部成本的合理补偿。

第二章　水资源可恢复性机理

自然界的水源源不断地供给地球生物生长繁衍的生理需求,哺育了地球上一代又一代的生物,造就了山川秀美的人类生存环境。水之所以能够周而复始地供给是自然界水体自身的水文循环与水量平衡规律相互作用的结果。水文循环使得自然界的水能够重复利用,水量平衡使这种重复得到持续。研究水资源可恢复性机理可为人类持续开发利用水资源提供科学依据,防止过度开发而破坏水资源的可恢复特性,同时为人类修复受损的水资源提供依据。

第一节　天然水循环的一般规律

水循环的基本规律包括水文循环与水量平衡。伴随人类对水文循环与水量平衡认识的不断深化与进一步延伸,与水循环有着密切联系的水资源可恢复性问题的研究也正在进展。

一、水文循环原理

水在自然界不断地运动变化、相互交换和循环。在太阳辐射能的作用下,水分不断地从水面(海洋、河流、湖泊等)、陆面和植物表面蒸发,化为水汽上升到高空,然后被气流带到其他地区,在适当的条件下凝结,又以降水的形式降落到地面上。到达地面的水,在重力作用下,一部分渗入地下成为地下水,一部分形成地面径流汇入江河回归海洋,还有一部分又重新蒸发回到空中。其中渗入地下的地下水,一部分也会逐渐蒸发,一部分最终流入海洋。水的这种不断蒸发、输送、降落、产流、汇流的往复循环过程,称为水文循环。水文循环是地理环境中最重要、最活跃的物质循环之一。

形成水文循环的原因有内因也有外因。内因是水的三态(气态、液态、固态)在常温条件下可以相互转化,外因是太阳辐射和地心引力。

(一)水文循环形式

根据循环的实际,水文循环可以分为大循环和小循环两种基本形式。地球上水的绝大部分存在于海洋,目前海洋储水量占地球总储水量的96.54%。海洋表面从太阳获得能量,在太阳辐射作用下,从地球广大的水面(主要是海洋)、土壤表面、植物叶面等,水分通过蒸发逸入大气并通过大气环流在地球上空扩散到海洋和陆地上空,然后在一定的条件下凝结,以降水形式回到地球表面。在陆地表面因降水产生径流,或直接从地表回归入海,或通过地表层的蓄滞,但最后仍回归入海,这样水在海洋和陆地之间的循环运动被称之为大循环。

此外,由海洋蒸发的水汽在空中凝结后,直接又以降水形式回落到海洋,这种水文循环被称做海洋小循环;还有陆地上的部分降水在陆地表面形成水体及被植物截留,通过土壤及植被的蒸腾,使陆地上的水分直接返回大气,再凝结以降水形式返回陆面,这种水文循环称做陆地小循环。

水循环无始无终,大致沿着海洋(或陆地)→大气→陆地(或海洋)→海洋(或地面)的路径,循环不已。完整的水循环一般都要经过蒸发、降水(包括凝结过程)、径流形成(包括地面和地下径流以及下渗过程)和大气水分输送四个重要环节(有的小循环运动可能缺少径流部分或径流部分不明显)。值得注意的一点,水循环不是以恒定的流量稳定地进行运转,而是随着时间和空间的转换发生着极为复杂的变化。在汛期有时大雨倾盆,江河横溢;在另一时期则相对平静,几乎停止了运转。这些情况是由年内不同季节气象条件的变化所造成的,这种不稳定不仅表现在一年的各季节之间,在年际之间、不同地区之间也有明显变化。全球水文循环运移转换示意图如图 2-1 所示(陈家琦等,1996)。

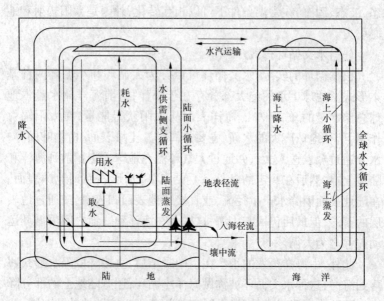

图 2-1　水文循环运移转换示意图

(二)水文循环影响因素

影响水文循环的因素很多,但都是通过对影响降水、蒸发、径流和水汽输送而起作用。这些因素归纳起来有四类:一是气象因素如风向、风速、温度、湿度等;二是自然地理条件如地形、地质、土壤、植被等;三是人类活动,包括水利措施和农业措施等;四是地理位置。

在这四类因素中,气象因素是主要的,因为蒸发、水汽输送和降水这三个环节,基本上决定于地球表面上辐射平衡和大气环流情况。而径流情势虽与自然地理(下垫面)条件有关,但基本规律还是决定于气象因素。自然地理条件主要是通过蒸发和径流来影响水文循环,若有利于蒸发的地区,往往水文循环很活跃,而有利于径流的地区,则恰好相反,水文循环相对较弱。人类活动改变下垫面条件,通过对蒸发、径流的影响而间接影响水文循环,通常是有利于蒸发而不利于径流,从而促进了内陆水文循环。

(三)不同水体的水量相互转化研究

人类对水文循环的初始认识是自然界大气水与地表水之间水量的循环交替。然而,目前自然界中的水体受人类大规模活动的影响,水文诸要素变化的复杂性及影响这些要素变化原因的多元性,使传统的水文循环理论无法科学地揭示各要素之间的影响关系及其相互作用。同时,随着人类活动对自然界影响的扩大与人类对水文循环理解的深入,逐渐认识到水体之间相互转换的每一个环节都可能受到干预而影响整个循环的继续。为此,人们对水体之间的水量相互转化的研究在不断深入,开展了"三水"(大气水、地表水、地下水)、"四水"(大气水、地表水、地下水、土壤水)及"五水"(大气水、地表水、地下水、土壤水、植物水)等不同水体的水量转换的水文循环理论研究,上述研究成果为开发利用水资源提供了行为依据。

"三水"转化是指在水循环过程中,大气水、地表水与地下水之间的相互作用与相互转化关系。主要是大气水与地表水通过降水与蒸发过程相互转化;地表水与地下水之间通过渗透作用与蒸散发作用相互转化;而大气水与地下水之间则由降水、渗透、蒸散发等过程实现相互转化。

"四水"转化是指在水循环过程中,大气水、地表水、土壤水和地下水之间的相互作用或相互转化关系。其中包含有地表水与地下水相互转化关系;地表水和土壤水相互转化关系;土壤水和地下水相互转化关系;地表水、土壤水、地下水与大气水的相互转化关系等。水在以上四种赋存形式之间相互转化关系即称为"四水"转化关系。

"五水"转化是指在陆地循环过程中,土壤水在重力作用下,其中一部分渗入地下含水层转化为地下水,一部分在土面蒸发,一部分被植物吸收转化为植物水,然后经叶片气孔以水汽形式扩散到大气中去,转化为大气水,地下水则借土壤毛细作用上升补给土壤水,或经人为开采、渗流涌出转化为地表水,地表水入渗又转化为土壤水或地下水的关系等。水在大气水、地表水、地下水、土壤水、植物水之间的相互转化称为"五水"转化。

二、水量平衡规律

对全球来讲,不管地球上的水如何运动和更新,地球上的水量从总体上来看,遵循着质量守恒定律,是平衡的。可以用以下公式表示全球水量平衡:

$$\overline{P} = \overline{E} \qquad\qquad (2-1)$$

$\overline{P}$ 为多年平均降水量, $\overline{E}$ 为多年平均蒸发量。即全球多年平均降水量等于多年平均蒸发量。

全球年水量平衡如表 2-1 所示(UN,1978)。

表 2-1　　　　　　　　　**全球年水量平衡**

分区	面　积 (10^6 km^2)	水量(10^3 km^3)			水　深(mm)		
		降水	径流	蒸发	降水	径流	蒸发
海　洋	361	458	−47	505	1 270	−130	1 400
陆　地	149	119	47	72	800	315	485
其中:外流区	119	110	47	63	920	395	529
全　球	510	577	—	577	1 130	—	1 130

表 2-1 表明,地球上的水在海洋与陆地之间进行循环,径流与蒸发的代数和等于降水量,从全球角度来看,降水量等于蒸发量。如果细加分析,它还暗含了这样一个真理:地球上的水在数量上基

本是恒定的,它具有一定的承载力,我们没有能力改变这种客观存在,我们所能做到的是,在开发利用水资源时,不要超过其限度,我们应该十分珍惜这种宝贵的资源。

全球的水能够不断地往复循环,水循环过程中的水量平衡起了相当大的作用,它保证了水文循环能够持续不断。水循环的全过程,主要包括以下几个平衡:

(1)流域水量平衡:流域的降水与水的储存、排放能力之间在水循环过程中保持平衡。当降水超出流域的排水和储存能力时,就会发生洪水;降水不足时,就会干旱。

(2)地下水与地表水的平衡:一定区域的地表水与地下水之间保持着补给平衡,地下水位下降,地表水补给,反之,地下水也补给河流。

(3)水资源利用与补给平衡:地球生物的存在必然消耗自然界的水资源,一定时期与一定地域水资源的开发利用要与天然补充水量平衡方能保持自然界水资源可持续存在。

人类对水资源的适度开发,通过系统的自我调节和恢复,水生态系统会达成平衡,不会造成生态系统的破坏,但是,当水资源的开发利用超过水资源系统的承载力时,就会造成不可逆转性的改变,造成生态系统的破坏。

第二节　人类活动对水循环的影响

近年来,随着人类对自然界干预的加强及全球气候的变化,水循环发生了显著地变化,原有的天然水循环模式已不能很好地解释现实水循环的规律。一方面全球气候受人类活动影响发生了变化,改变了原有的气温、降水等与水循环密切相关的气候因子;另一方面人类活动改变了地表状况,影响了天然水蒸发、入渗、产流、汇流特性。而且,由于人类大规模的开发利用水资源,在原有的天然水循环内产生了人工水循环,如取水、输水、用水、排水等形成用水循环,同时各环节伴随蒸发、下渗,各自又形成彼此相互影响的天然水循环,人类活动对水循环的影响正在日益加深。

一、人类活动对水循环的影响

人类活动对水循环的影响,从影响途径来讲可以分为直接影响与间接影响。

(1)直接影响:指人类活动使区域水循环要素的量、质以及时空分布直接发生变化。如水库的修建、提引水工程、跨流域调水工程、围湖造田、排污泄污等都将直接使水循环系统结构和方式发生改变。

(2)间接影响:指人类活动改变了下垫面状况或者局部及整体气候,从而以间接的方式影响了水循环蒸发、入渗、产流、汇流过程,如森林砍伐、土地利用、城市都市化、温室气体排放等。

从人类活动对水循环内部机制出发,人类活动对水循环的影响可分为:

(1)改变水循环路径:地表水利用主要有河道外用水,通过地表水增加地下水补给和排泄途径(人为灌注和抽取地下水),海水淡化利用直接增加淡水补给量等都改变了水循环原来的路径。

(2)改变流域水文特性:主要指土地利用格局改变、砍伐放牧等活动改变了流域下垫面状况,影响了产汇流特性等。

(3)改变水循环动力条件:如温室气体的增加,改变了原有的气温、降水等与水循环密切相关的气候因子,加剧了大气垂向运动。人类社会系统能量的输入,改变了原来单一(或近似单一)的水循环自然动力系统结构,如提水灌溉等。

二、人类活动影响下的水循环演变趋势

在自然与人类双重作用下流域的水循环演变,概括起来有以

下观点:

(1)人工水循环与天然水循环密切联系、相互影响、相互制约。由地表水开发利用形成的人工水循环,可以概括为四个环节,即取水、输水、用水、排水环节。同时每个环节均存在蒸发与渗漏,因此人工水循环在每个环节均与天然水循环有着紧密的定量关系。人工水循环越活跃,各环节与之相联系的天然水循环也相应活跃,天然水循环过程影响了可利用水量的形成,因此对人工水循环也有相当的影响制约性。

(2)人工水循环的同时存在水量消耗与水质劣变过程。人工水循环在用水环节将消耗大量的水资源进行生产,同时难以避免的是在排水过程中造成水质发生劣变。对地表水人工水循环从起始点到回归点进行定量描述,包括其水量消耗过程和水质劣变过程及各环节的蒸发、渗漏等,都可为人工水循环与天然水循环的耦合奠定基础。

(3)人工水循环已成为水文循环的重要组成部分。自人类开发利用水资源开始,人工水循环伴随而生。水文循环也由原始的天然水循环发展到有人类干预的水循环模式。人工水循环已构成水文循环的重要组成部分,人工水循环与流域天然水循环的关系如图 2-2 所示。

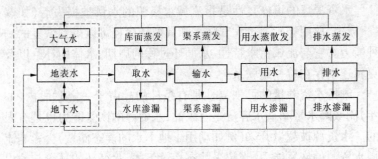

图 2-2　人工水循环与流域天然水循环的关系(王浩,2001)

第三节　水资源可恢复性机理

水资源可恢复性是随着世界水危机的出现,地区干旱、断流、水体污染现象的频繁发生于近几年提出的。对水资源可恢复性机理的研究为流域水资源和生态环境的保护提供了理论依据,促进了流域水资源的合理开发与优化配置。

地球上各种形式的水,在太阳辐射和地心引力的作用下,不断地循环往复,变化着形式,这种周而复始的循环运动,使得自然界各种水体不断得到更新,赋予水资源可以"永续利用"的特点,这就是水资源在宏观尺度上的可恢复性的含义。

微观上水资源的可恢复性是指流域(或单元水体)水资源在水量上损失后(如蒸发、流失、取用等)或被污染后,通过大气降水和水体功能(或其他途径)可以得到恢复(即更新)的一种综合能力。因此,水资源是一种逐年能够得到恢复和更新的具有可恢复性的资源。水资源的可恢复性与水量、水质有直接联系,主要表现在水资源数量的可恢复性与水体功能的可恢复性两个方面。

一、水资源量的可恢复性

水资源量的可恢复性是指流域水资源的水量被损失后(如蒸发、流失、取用等),通过大气降水和其循环途径可以得到恢复的一种能力。它与流域蓄水特性、水循环过程的周期、水体的补给以及更新速率存在着一定联系。

维持水资源量的可恢复性是有条件的。由于一定时段内(如年)流域降水量和蓄水容量是有限的,水资源的恢复能力也是有限的。水资源被超量开采(例如动用了地下水的静态储量)会影响流域水资源的恢复能力,当超采状态持续下去,水循环的补给与输出平衡关系遭到破坏,超过了水资源可恢复的最低限度,将导致水资源的不可恢复。

为了维持流域水量的可恢复性,一般要求流域(或区域)水资源的平均时段(如年)耗用水量不超过流域(或区域)的多年平均水资源量,这样被耗用的水资源量便可以通过大气降水得到恢复和补充。因此,流域水资源量可恢复性与时段(如年)流域的耗水量和流域内产水量有着密切的联系。而影响流域产水与耗水的因素(如地形、地貌、土壤、植被、气候、降水以及人类活动的用水和排污等),是影响水资源量可恢复能力的主要因素。

对于人工恢复水资源量可以进行以下分析:水资源可以通过水文循环过程中的大气降水得到恢复和补充,这是一种自然规律,正常的水文循环能够维持水资源量的恢复与补充。如果采取适当的人工水资源恢复活动,对流域(或区域)水文循环过程中受到破坏的环节进行修复或重建,那么水资源量的可恢复能力是可以得到恢复并达到自然状态下的功能,诸如实施水源涵养林建设是对水文循环产汇流下垫面条件的修复与改善,保证水文循环的正常发生;进行水资源的合理开发利用是通过规范取水行为,从避免对水文循环规律的进一步破坏来对水资源量的恢复起积极的保障作用。促进水资源合理开发利用的活动是多方面的,既有直接的,如取水许可证制度的实施、水权的合理分配等,也有间接的,如雨洪水利用、上下游用水协调机制以及采取节水等。

保持水循环过程中的水量平衡也是维持水资源量可恢复能力的关键。平衡是持续的前提与保障,平衡的打破则意味着持续的终止。没有持续的水循环,水资源量可恢复能力无法保障。因此,流域(或区域)某些人工恢复活动可以通过维持水循环的各类平衡来达到或促进水资源量的恢复,如采取地下水回灌工程是为了恢复地表水与地下水水量的平衡,合理的开发利用水资源是达到水资源利用与天然补给的平衡等。这些措施都可以保证水循环不断往复地进行,从而维持或恢复了水资源量的可恢复能力。

　　从图 2-3 可以比较清楚地看出实施人工恢复活动与实现水资源量恢复的内在关系。

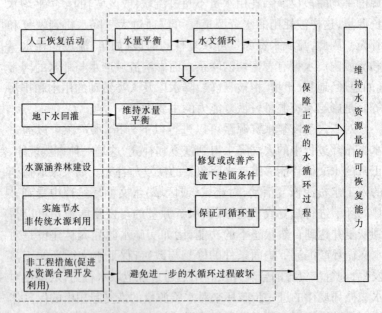

图 2-3　实施人工恢复活动与实现水资源量恢复的内在关系

二、水体功能的可恢复性

　　就水资源可恢复性而言,只谈水资源量的恢复是不完整的,因为即使有一定数量但是受到严重污染的水体,也不能称为"水资源"。因此,研究水资源的可恢复性必须从水资源数量和水体功能(水体质量)两方面来考虑。水体功能的可恢复性是指在水文循环过程中,水体遭受自然或人为污染,污水排放量处于水环境容量允许范围以内时,通过水体的纳污控制和水体自净功能,水环境功能可以恢复到初始状态,此时水体功能具有可恢复性。反之,水环境质量将恶化,水体功能可恢复性遭到破坏。

实现水体功能的恢复可以采取一些有利于减轻水环境容量压力的人工恢复活动,逐步达到恢复水资源自净能力的目的。如采取水源涵养林建设工程、污水处理工程以及实施节水工程等工程性措施,通过净化水质、污水达标排放以及减少污水排放量来达到减轻水环境容量压力的目的,促进水体功能的恢复。采取征收排污费等非工程性措施还可以激励用水者减少污染物的排放,同样可以做到减轻水环境容量压力,恢复水体具有的自净能力等。这些都是实现水体功能恢复的人工措施。

从图 2-4 可以比较清楚地看出实施人工恢复活动与实现水体功能恢复的内在关系。

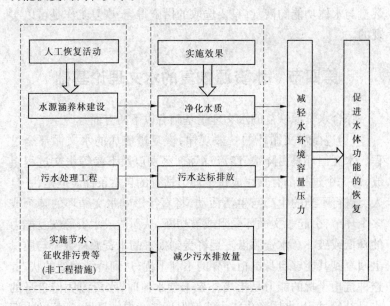

图 2-4　实施人工恢复活动与实现水体功能恢复的内在关系

水资源量的可恢复性与水体功能的可恢复性有着天然的紧密联系。水资源量的可恢复性直接与水文循环条件有关,它是水体功能可恢复的基础,水体功能可恢复性还与人类活动排污直接联系。例如,河流在枯水期水体更新慢,水资源量可恢复能力小,在同等排污情况下,枯水期水质比丰水期差,水体功能可恢复能力也就小。

水资源量可恢复性和水体功能可恢复性综合决定了水资源整体的可恢复性。只有水资源数量和水体功能的可恢复能力两方面都大时,水资源的可恢复能力才高。这是因为水资源内涵包含水量和水质两个方面含义,水量的亏损和水质的污染都是对水资源的一种损耗。

从以上分析可以看出:采用合适的人工措施能够促进水资源数量与水体功能的恢复,只要选取的措施得当,恢复工作是可以实现的。

第四节　水资源恢复的水文理论基础

综合水资源恢复的水文理论基础有以下两方面:

(1)遵循水文循环的一般规律,恢复遭破坏的水文循环全过程。水文循环是由降水、产流、汇流、蒸发以及下渗等水文过程组成,每一个过程都有其完成每个环节适宜的自然条件。但是,一旦人类进行不当的生产与生活活动,将直接影响水文循环的某个或多个环节,引起水文循环受阻或被切断,从而造成水资源恢复能力的降低或破坏。水资源恢复是将受到损害的水资源从数量与质量上回复到其能够自身抗拒外界的不利干扰,达到持续发展的状态。这种抗拒干扰的能力是指当外界干预水体时,水资源凭借自身的水量补给过程、水质净化能力能够保证持续提供足量、达标的水资源满足社会、经济及生态环境等的用水需求。因此,水资源恢复首要的也是最终的目标就是要通过工程或非工程措施,遵循水文循环的一般规律,保护或恢复区域水文循环的全过程,同时避免人类活动对水循环过程的不利影响。

（2）遵循水资源可恢复性机理，创建可恢复的自然条件。水资源具有可恢复特性，但是就特定的区域，特定的水体，特定的时段而言，水资源是有限的，一旦水资源实际利用的速率超过了其更新的速率，或者对水质的破坏程度超出其自净能力，就会面临水资源数量与水体质量的危机，乃至造成水循环和水环境的破坏。

与自然条件下发生的恢复过程不同，这里提到的水资源恢复是强调人类的主动作用。事实上，人类活动不可避免地都会对所有水资源系统产生影响，因而应从水资源静态平衡的观点转向动态平衡的观点认识水资源的恢复。面对不能进行自我恢复的受损水资源，在水资源循环过程中进行适当的人工干预是必要的。当对受损的水资源进行人工干预来实现其自然状态下的恢复过程时，人工干预所选择的恢复工程与技术等措施的实施必须遵循水循环的一般规律，恢复的目标是满足水循环的自然条件。水资源恢复过程，要有利于使受损水资源向着达到水资源自身恢复的方向发展，最终达到水资源自身水量补给过程和自身净化过程。因此，水资源可恢复性的核心，一方面要从数量与质量上维持水资源的可恢复循环过程，另一方面要创造水资源可恢复循环的自然条件。

小　结

本章以探讨水资源可恢复性机理为目标，强调水资源恢复的可行性与必要性，以及在恢复过程中遵循的水文理论基础。本章主要在以下几个方面进行了探索与分析：

（1）从水循环的一般规律着手，介绍了自然界传统的水文循环与水量平衡的规律，分析了有人类干预状况下的水循环演变的规律，指出了人类活动对水文循环及水量平衡的干预和影响。

(2)分别从水资源数量的可恢复性与水体功能的可恢复性两方面探讨了水资源可恢复性机理,以及水资源恢复的水文理论基础。

通过分析,作者认为在保持自然界水循环的平衡过程中,采取适当的人工水资源恢复活动创造水资源可恢复的自然条件,是十分必要的也是切实可行的。对水资源实施恢复,首先要保证恢复活动遵循水资源自身的规律,实现区域内受到破坏的水文循环全过程的恢复。当自然界偏离水循环规律的平衡状况时,力图恢复活动是向着有利于恢复这种平衡的方向发展,这是人与自然和谐相处的基本要求。

第三章　水资源恢复与经济补偿的关系

采取适当的人工水资源恢复活动,创造水资源可恢复的自然条件,是解决水资源危机的客观要求。合理的开发利用、保护和管理水资源,可以在水资源利用的同时实现水资源有效的恢复。对已破坏或濒临破坏水资源恢复条件的地区,要从当地的实际水资源供需状况出发,运用水源保护、节水、治污、回灌及非传统水源开发等工程措施与行政、经济、法律等非工程措施相互配合,有效改变水资源的开发利用条件,合理配置有限的水资源,促进水资源恢复,达到水资源的可持续利用。其中以水资源恢复为目的的经济补偿非工程措施是本章研究的重点。作者认为,合理的经济补偿措施将会对水资源的恢复起到事半功倍的成效。

第一节　水资源恢复的主要途径

上一章通过介绍水循环的基本规律,分析了人工水资源恢复活动实现水资源数量与水体质量恢复的可行性,本章主要探索实施人工水资源恢复的主要措施,并提出本书关注的重点恢复措施——经济措施。

概括而言,人工水资源恢复措施可以采用如下两个途径来开展:①采取工程措施;②实施非工程措施。工程措施主要有水源保护工程、污水处理和资源化工程、节水工程、地下水回灌工程以及非常规水源利用工程等;非工程措施主要是实施法律措施、行政措施、宣传教育措施和经济措施等。

一、水资源恢复的工程措施

(一)水源保护工程

人类过度开垦土地资源、砍伐林木,造成水土流失,导致水源地涵养能力下降,产水量与可利用水量减少,肆意地排放污水也引起水环境的恶化。针对目前地区产水量减少、水土流失严重、水环境恶化的现象,致力于水资源保护工程建设将有利于水资源量和质的恢复。水源保护工程措施主要有:

(1)积极开展水源涵养林保护建设是目前水源保护工作的重点之一。水源涵养林建设是指在流域集雨面积内通过种植林木、草皮等,一方面增加了直接经济效益,另一方面可以有效防止水土无效流失,增大林地涵养水源的能力。据有关部门测算,1 hm² 林地比裸地至少可多储水 3 000m³,若建设保护林 10 000hm²,则相当于蓄水量 3 000 万 m³ 的水库。同时,水源涵养林还具有净化水质的作用,经涵养林过滤的水资源水质如同进入水厂净化了的水质。因此,水源保护工程的建设不仅有利于水资源量的恢复与补充,而且也有利于水体质量的恢复与改善。

(2)建设水源拦蓄工程是保护水源的有效方式。为了充分利用自然界的水体资源,防止水资源的无效流失,在适宜建设水利工程的地方,通过建立水量拦蓄工程,拦截濒于流失的水资源用于生产生活,也是进行水源保护的工程性措施之一。另外,水源地拦污工程的建设对保护水源的水质具有相当有效的效果。

各项水源保护工程措施为水资源的恢复从量和质两方面提供了支持。随着水资源恢复工作的深入,水源保护工程也将不断完善,其发挥的作用也将日益显著。

(二)非传统水源利用工程

非传统水源是指雨水、洪水、海水,甚至劣质水等经处理后可用于生产生活的非常规水源。非传统水源的利用大大提高了可利

用水资源量,减轻了对地表水与地下水等常规水源的需求压力,有
助于缓解水资源危机与实施水资源恢复。目前,国内外在非传统
水源利用方面取得了大量成效,已取得了回归水、劣质水、雨水、海
水、土壤水以及露水利用等方面的应用。这里主要介绍两种比较
有效的非传统水源利用工程措施。

(1)雨水利用。城市的马路、建筑物、屋顶、公园、绿化地等都
是截留雨水的好场所。降雨形成的大量径流一般都是汇集到排污
管道或沟道,白白流走。然而,在城市中汇集的雨水一般不含有毒
物质,经过简单沉淀处理即可用于灌溉、消防、冲洗汽车、喷洒马路
等。我国在雨水利用方面的研究与实践尚处于起步阶段,技术与
经验还不成熟。国外在这方面已有不少经验。如日本东京有
8.3%的人行道采用透水性柏油路面,使雨水可以入渗到地下,汇
集后利用。为了汇集雨水,澳大利亚在城市内设有两套集水系统,
一套是生活污水集水系统,另一套是雨水汇集系统。

(2)海水淡化。海水淡化技术的发展为海水资源的利用提供
了广阔的前景。以色列的海水淡化,现在是采用反渗透法为主,在
埃拉特的海水淡化厂日产量为 13 500m³,其他还有一些小厂。在
埃及,海水淡化主要用于沿海夏季避暑地区。我国天津等沿海城
市及香港等岛屿城市正在积极开发利用海水资源。总的来说,目
前海水淡化的成本约为 1.0 美元/m³,仍然较高。随着科学技术
的发展,其成本必然会进一步降低,不久的将来淡化海水将成为一
种有实用价值的水资源。

(三)节水工程

在水资源不足、供需矛盾日益紧张的条件下,除了寻求开源途
径外,大力开展节水工程也是解决地区水资源短缺、促进水资源恢
复的有效措施。

农业是耗水大户,但目前农业用水普遍存在着严重浪费现象,
有较大的节水潜力。种植结构不合理、灌水定额偏高、渠系利用系

数偏低是造成农业用水浪费的重要原因。因此,农业节水可以通过以下措施完成:①调整农作物种植结构,减少用水量;②进行灌区改造,对各级渠道进行防渗配套整治,采用管道输水等高效输水技术,提高渠系利用系数;③采用先进的地下管道灌溉、渗灌、喷灌、滴灌、微灌等高效灌溉技术降低灌溉用水量;④加强灌溉管理,促进农业节水等途径。

由于工业用水量大、供水比较集中、节水潜力相对较大且易于采取节水措施,因此在相当长的时期内工业用水是城市节约用水的重点。工业节水可以通过提高工业用水的重复利用率来达到降低用水量的目的。提高工业用水的重复利用率,通常可在生产工艺条件基本不变的情况下进行,是比较容易实现的,因而是工业节水前期的主要节水途径。另外,采取调整工业结构、严格限制发展高耗水工业、改进生产工艺流程、淘汰高耗水设备等措施都能有效促进工业节水,提高工业用水重复利用率。

节水方面除了工农业要下大力气节水外,城乡居民的生活节水也不可忽视。通过推广节水器具,杜绝跑冒滴漏等措施都可促进生活节水。这些措施固然有效,但更重要的是提高人们的节水意识。

(四)污水处理与回用工程

为了解决水资源短缺问题,当前世界各国普遍采用污水资源化来增加水的利用量。污水资源化,即污水的处理、再生与回用,不仅是提高水资源利用效率的有效途径,而且是解决缺水危机的具体可行的重要措施。例如西欧北美等发达国家,由于水资源和水污染问题日益突出,针对污水回用问题采取了大量有效措施,使污水回用率逐步提高,现已普遍实现了总用水量逐年增加,而新鲜用水的总取水量逐年减少的良性循环局面。

可以说,污水资源化是将污水作为第二水源,以解决水资源危机的重要途径。目前,污水资源化在技术上比较成熟。城市污水就近可得,水量稳定,易于收集,是完全可以经处理后再利用的,而且,随着社会经济的发展和人们环境意识的不断提高,污水高级处理与回用技术正逐渐扩展到城市的许多行业,经过高级处理的污水已扩大回用作农业灌溉用水、工艺用水、工业冷却水、锅炉补给水,以及景观用水、回灌地下水和娱乐养鱼等多种用途。需关注的是污水再利用的安全性,以及投入成本的合理性。

(五)地下水回灌工程

在采取开源、节流、治污等工程措施进行有利于水资源恢复的同时,地下水回灌技术日益引起重视。采用地下水人工回灌,人为地调节地下水的开采、补给关系,能控制地下水位的继续下降,增加地下水的淡水补给,稳定地下水位,在一定的条件下还能控制地面沉降。

实践证明,地下水人工回灌是进行季节性和多年性的地下水资源调节和防止地下含水层枯竭的行之有效的方法,被公认为是缓解水资源破坏的最经济有效的措施之一。

综上所述可见,水资源恢复工程措施是通过直接控制水资源的无效流失(如拦蓄工程,节水工程)、增大可利用水资源量(如非传统水源利用工程措施)、减少水环境污染(如污水治理措施)、恢复水资源储存条件(如地下水回灌)等方面直接或间接恢复水资源的数量与水体质量,具有十分重要的意义。

二、水资源恢复的非工程措施

水资源恢复非工程措施包含的内容很多,本章主要从法律措施、行政措施、宣传教育措施及经济措施等几方面进行论述。

(一)水资源恢复的法律措施

在目前的法制社会中,解决水资源问题的常规办法之一就是依靠法律措施。通过法律措施解决水资源问题有两个明显的优点:一是它不受利益集团的影响,因为法律是最具有刚性的;二是它可以对破坏水资源的行为通过审判过程得到恰当的处理。

水资源恢复的法律措施主要包括水资源恢复的立法和执法。我国《水法》是国家制定的、调整人们在开发利用和保护改善水资源的过程中所发生的各种社会关系的法律规范的总称，是依法开发水、利用水、保护水和治理水的重要依据，它所调整的是人们在开发、利用、保护、改善水资源过程中所发生的各种社会关系，包括为合理开发和利用水资源而发生的社会关系、为保护和改善水环境而发生的社会关系、为防治水污染和其他公害而发生的社会关系。

法律措施是其他措施发挥作用的前提和基础。没有法律措施作保证，行政措施就无法可依，经济措施就失去效能，宣传教育措施也显得苍白无力。

(二)水资源恢复的行政措施

行政措施就是政府部门利用行政权威和职能在水资源保护与恢复方面所采取的措施。经济学家斯蒂格勒认为，政府的行政措施在校正环境资源问题等外部性因素中可以发挥较大作用。政府可以利用权力来签定协约，例如禁止在某个地方以某种方式使用水资源，以防止损害下游的用水者的权利。政府可以坚持自己在处理一些外部性问题上采取正确的行动，比如对工厂排出污染物的种类和数量进行限制。政府可以采取积极行动，进行外部性改善的治理措施，例如针对工厂排放造成水污染的情况，政府可以要求各工厂在排污前进行污水治理，做到达标排放等。

政府的职能直接或者间接地影响着水资源恢复。具体说来，政府在水资源恢复方面的作用可包括：

(1)利用政府可支配资源对水资源恢复这一公共物品的投入，包括水资源科学研究、水资源保护教育、水资源产权界定、水资源恢复工程的兴建、水资源保护队伍建设等，集中力量办大事，集中财力进行水资源恢复建设。

（2）利用政府的强制力，加强水资源监管力度，按照水资源保护的法规和标准执行行政职能，严惩践踏水资源保护法规的人和事，杜绝水资源开发利用管理中的不正之风，实现各级政府水资源保护责任制。

（3）形成包括水资源保护在内的政府综合决策机制。由于长期以来存在多龙管水的局面，各部门各自为政、条块分割严重，导致不同政府部门出台的政策相互抵触的现象时可见。不改变这种状况，水资源保护无法真正落到实处。为此，必须建立水资源与经济综合决策机制，保证在重大决策中综合考虑水资源与经济、社会协调发展。

行政措施一般带有一定的强制性和准法制性，行政措施既是水资源恢复与保护等经常性管理的执行渠道，又是解决与水有关的突发事件强有力的组织与指挥的保障。

（三）水资源恢复的宣传教育措施

宣传教育措施是通过教育、媒体、意向等活动对公众进行水资源的不可替代地位、水资源短缺现状、恢复水资源的迫切性、节水必要性及节水措施等的宣传，期望由此能激发公众自觉保护水资源的意识。

水资源问题有时市场管不了，政府也无法管或管理成本过高，而要靠公众的"觉悟"。要使公众具有水资源保护觉悟，这就需要另一种制度安排。这便是新制度经济学中所指的非正式规则，即"意识形态"。就水资源保护问题而言，就是水资源保护意识、水资源保护观念、水资源保护习惯等。

虽然水资源保护与恢复的对象属于公共物品，政府为此多做些努力是理所当然的，但可持续发展的主体力量是公众，只有把公众的积极性调动起来，才能真正实现可持续发展。只有人人感到水资源受损对人类生存和自然发展会带来莫大冲击，积极主动行动起来形成一股保护生态、保护水资源、与自然和谐相处的新风，可持续发展才有可靠的保证。

为此，宣传教育措施是水资源保护与恢复的重要措施，而且是一种基础性措施。教育是经济、社会全面发展的基础，如果不重视教育，经济、社会及生态环境的发展都是不可持续的。水资源保护与恢复的真正奏效归根到底在于人的素质的提高，而人的素质的提高必须依靠教育。

当然，教育措施是一种"软措施"，这种措施的缺陷就在于：由于它缺乏执行过程中的强制力，它必须与其他措施相配合才能使用，因此在水资源保护与恢复中它发挥的是辅助作用。但是，这种辅助作用又是其他措施所无法替代的。

（四）水资源恢复的经济措施

水资源恢复的经济措施是本书重点关注的恢复措施。作者认为，该措施的采用得当，可起到更为有效的、其他措施难以替代的作用。随着市场化改革的深入和市场经济体制的逐步完善，制度环境发生了深刻的变化，经济措施的激励作用日益凸现。经济措施可以分为广义的经济措施和狭义的经济措施。提高水资源的价格达到有利于水资源合理开发利用是一种政策措施，如果这种政策措施使水资源的开发利用与经济或经济部门有了关联，那么这种措施就是广义的经济措施，包括逐步扩大水污染收费的范围，使其充分反映污染的巨额社会成本等措施。狭义的经济措施用"庇古措施"和"科斯措施"来解释。"庇古措施"就是侧重于政府干预的方式解决资源与环境问题的经济措施，如环境资源税、环境污染税或排污收费等。"科斯措施"就是侧重于市场机制的方式解决资源与环境问题的经济措施，如自愿协商制度、排污权交易制度等。

各级政府应更多地运用经济措施来达到保护资源与环境的目的，按照资源有偿使用的原则，逐步开征资源利用补偿费，并开展对环境资源税的研究。研究并试行把自然资源和环境纳入国民经济核算体系，使市场价格准确反映经济活动所付出的代价。1994

年 3 月 25 日国务院第 16 次常务会议讨论通过的《中国 21 世纪议程》明确提出要"有效利用经济措施和市场机制"促进可持续发展。这说明在市场化改革进程中生态建设、环境与资源保护经济措施的重要性与有效性。

经济措施主要运用市场经济杠杆的激励作用来促进水资源合理取用和污水的合理排放,达到有效恢复水资源数量与水体质量的目的。其中运用经济补偿的手段是常见的也是必要的。譬如,对于下述几种开发利用水资源行为,采用经济补偿手段能有效协调水资源利用与恢复之间存在的相互制约关系,激励用水行为向有益于水资源恢复的方向进行。

(1)过度地开发利用水资源,使得水资源的储量日益减少,然而,水资源价值的耗费又不能得到补偿,无法实现水资源价值的补充,使自然界水资源的价值大量流失。进行对水资源价值的补偿是解决我国现阶段水资源短缺和水污染问题的重要手段之一,它真正体现了"资源有偿使用"原则,有利于促进各用水部门科学地确定水资源的消耗水平,促进水资源高效利用,有利于实现水资源间接恢复。有效解决水资源价值补偿问题是实现资源、环境、社会可持续发展的前提。

(2)污水排放对保护水资源和维持生态环境是不利的。为了保护水资源和维护生态环境少受不良影响,往往需要投入一定的劳力和资金。对用户使用水资源后的排水收取使用补偿费用,一方面是对水资源与环境保护投入的补偿,另一方面是用户对使用水资源环境容量的补偿。进行水污染补偿费征收制度不仅可以激励用户减少排放污水,而且有利于提高全民保护水资源的意识,促进产业结构的产业布局合理调整,提高我国水资源的保护能力。

(3)保护上游及水源区生态环境需要较大的投入,必要时水源区为保证用水区有足够的水量与优良的水质,有时会在经济发展方面做出一定牺牲,即限制本地经济发展,降低用水量、减少污水排放以保障有更多更优的水资源供给下游用水区,对此,下游及受益区适当给予水源区合理的补偿,即可保证上游及水源区水资源与生态环境的保护,又可以保障上游及水源区为此所牺牲的经济发展,促进水资源利用协调开展,对于水资源恢复是有益而无害的。

水资源恢复非工程措施通过有效约束不合理开发利用水资源行为、提高水资源恢复意识、激励水资源合理配置与利用等,保障水资源恢复行动的顺利开展,是恢复过程中不可缺少的有力的辅助手段。

通过上述分析可见,水资源恢复实施工程措施与非工程措施各自具有其自身的特点,对促进水资源恢复发挥着各自的优势作用。两种措施相互结合,互为补充,对快速、有效地实施水资源恢复会有极大的推动作用。

第二节　水资源恢复与经济补偿的关系

水资源恢复经济措施中的经济补偿手段,是以恢复为目的的经济补偿活动,这里简称水资源补偿。水资源补偿是本书研究的重点,关于水资源补偿的内涵在第一章中已做了详细探讨,这里讨论一下水资源恢复与补偿的内在关系。

本书从以下方面来看水资源经济补偿的恢复效应:①利用经济激励作用促进用水者节约用水、减少污染排放;②通过协调用水者之间的利益关系,促进水资源的合理开发利用,但最终目的都是为推进水资源的恢复。

(1)水资源补偿的经济激励作用是促进水资源恢复。水资源补偿的经济激励作用主要体现在通过征收补偿费(水资源使用费或排污费)激励用水者或用水企业:①安装节水设备、改变生产方式、提高用水效率,从而达到减少水资源取用量,缓解水资源数量短缺的目的;②安装污水治理设备,改造生产工艺流程,在生产规模扩大的同时使污水排放量减少或保持在一定水平,减轻水环境容量压力,促进水体功能的恢复。因此,水资源补偿措施对水资源数量与水体功能的恢复都有一定的经济激励作用。

(2)水资源补偿的利益协调作用有利于水资源恢复。水资源补偿一方面通过其经济激励作用直接推动水资源的恢复,另一方面通过协调用水者之间、水源保护者与用水者之间的利益关系,同样有利于水资源恢复,保障水资源的合理开发与利用,这种效应是间接的。譬如,在上述关于水源区与用水区之间利益关系的协调过程中,通过下游及受益区适当给予水源区合理的补偿,既保证了上游及水源区水资源与生态环境的保护,又可以弥补上游及水源区为此所牺牲的经济发展,保障水源保护的工作的稳定持续,这些无疑有利于水资源恢复。

第三节 水资源补偿实施原则

水资源补偿的目的是进行水资源的合理有效恢复,促进水资源可持续利用。作为一种经济措施,经济补偿又与经济或经济部门有了关联,而且水资源恢复是一项公共事物,因此在实施补偿措施时应当遵循以下主要原则。

(1)"谁受益、谁补偿"的原则。水资源保护往往使下游用水地区直接或间接受益。按照"谁受益、谁补偿"原则,受益地区用水企业与个人均应对上游保护行为及投入给予合理补偿。对同时产生的社会效益,国家应负担补偿。只有这样,水资源保护工作才能顺利进行,水资源可持续利用才能得到保障。

(2)市场、价值原则。水资源的公共效益补偿应当符合市场和价值规律,保持投入值与补偿值平衡,以维持水资源保护的可持续进行。

(3)公平、合理原则。在水资源相对短缺的流域，下游受益地区经济之所以能得到较快的发展，用水得到保障是主要原因之一。然而，水资源的保障供给是在上游水源地大量资金、劳力投入的基础上实现的。同时上游地区为保护好珍贵的水资源，往往又采取限制某些产业推进发展的方式，从而必然对地区经济造成一定损失，人民生活水平受到影响。因此，下游相对富裕的受益区有责任对上游经济地区的水源保护行为进行经济补偿。

(4)可操作性原则。必须建立在经济的和科学的基础上，具有可操作性。

(5)可持续发展原则。人与自然和谐相处的必要条件之一，便是要保证人类的活动不致影响自然资源的可持续开发与利用。可持续发展思想的内涵是要求对资源的开发利用不影响后代人对资源的需求。可持续发展不仅是要求保持水资源数量的消长平衡和环境不受破坏，关键是要使水资源在价值形态上始终保持住保值增值的态势，这样才可保障社会经济的发展能持续进行下去。

第四节　水资源补偿实施标准

经济补偿作为一项水资源恢复的非工程性经济措施，按照水资源恢复的目的和要求，其标准包括效率标准和公平标准。

(1)效率标准。指经济补偿措施实施后改善水资源数量与水体功能的成功程度。对于水资源保护施以何种补偿措施，主要目标是为了改善和恢复水资源数量与水体功能状况。因此，水资源恢复效果是实施经济补偿措施的首要标准。有关补偿政策与制度实施的目的是保护水源条件、限制某些地方的污染物排放总量、限制某个地方的水资源开采量、合理开发利用水资源等。因此，任何一种经济措施的有效性必须以这些水资源保护效率标准来判断。

(2)公平标准。公平开发利用水资源，共同保护水资源是法律所赋予每个用水者的权利与义务。流域上下游之间、不同用水部门之间存在用水矛盾时,在国家法律制度指导下,水管理部门通过采用经济补偿措施,本着"谁受益、谁补偿"、"谁污染、谁负担"等补偿原则,进行协调解决。经济补偿的任务之一是对利用工程措施、行政手段解决水资源合理开发利用效果不佳的情况下,对水资源价值补偿不足、受益补偿及损失补偿不到位等不公平用水现象进行调节,达到水资源所有者与使用者、保护者与受益者、破坏者与受损失者之间公平的利用与保护水资源的目的,间接达到恢复水资源的目的。

小　结

本章强调水资源补偿是以水资源恢复为目的的经济活动,是水资源恢复的一项有效措施。首先将水资源恢复的主要途径分为工程措施和非工程措施两类,并介绍了各类措施的多种实施方式,简述如下。

(1)水资源恢复工程措施:主要采取水源保护工程、污水处理和资源化工程、节水工程、地下水回灌工程以及非常规水源利用工程等措施。这些措施是通过直接控制水资源的无效流失、增大可利用水资源量、降低水环境污染、恢复水资源储存条件等方面直接或间接恢复水资源的量与质。

(2)水资源恢复非工程措施:主要是指法律措施、行政措施、宣传教育措施和经济措施等。这些措施是通过有效约束不合理开发利用水资源行为、提高水资源恢复意识、激励水资源合理配置与利用等,来保障水资源恢复行动的顺利开展。非工程措施是恢复过程中不可缺少的有力的辅助手段。

其中,水资源恢复非工程措施中的经济措施是本书研究的主题内容。以水资源恢复为目的的经济补偿活动是利用经济措施促

进水资源合理利用,实现水资源恢复的重要方式。本章重点讨论了水资源恢复的经济补偿与水资源恢复的内在关联,得出以下结论:

(1)水资源补偿利用其经济激励作用促使用水者或用水企业采取积极措施减少水资源取用量与污水排放量,促进水资源数量与水体功能的恢复。

(2)水资源补偿通过协调用水者之间、水源保护者与用水者之间的利益关系,促进水资源合理开发利用,进而推动水资源恢复。

明确了水资源补偿与水资源恢复的内在关系,本章接着探讨了有关水资源补偿的原则与标准。作者认为以水资源恢复为目的的经济补偿所遵循的原则有:"谁受益、谁补偿"原则、平衡原则、公平合理原则、可操作性原则和可持续发展原则等;按照水资源恢复的目的与要求,经济补偿实施的标准有:效率标准与公平标准。

通过对水资源恢复措施及补偿原则和标准的论述与分析,可以看出随着市场化改革的深入和市场经济体制的逐步完善,经济措施在水资源管理中的作用日渐凸现。经济措施运用市场经济杠杆的激励作用促进水资源合理利用与污染物的合理排放,有效协调水资源利用与恢复之间存在的某种相互制约关系,激励用水行为向有益于水资源恢复的方向进行,从而达到恢复水资源数量与水体质量的目的。

第四章　水资源恢复的补偿经济理论基础

广义地讲水资源补偿是以恢复水资源、使水资源可持续利用为目的，以使用水资源者、从事对水资源产生或可能产生不良影响的生产者和开发者、以及受益于水资源保护者为对象，以水资源保护、治理、恢复为主要内容，以法律为保障，以经济调节为手段的一种水资源管理方式，它包括污染补偿、非污染补偿、损失补偿以及受益补偿等。水资源补偿是基于一定的经济理论基础，包括水资源价值理论、水资源的准公共物品理论以及水资源利用的外部性理论等。

第一节　水资源价值理论

一、水资源的经济属性

不管是否有人类的涉足和劳动参与，水资源都是有价值的，并日益得到用水者的认可。对水资源价值的认识，是随着人类社会的发展和水资源稀缺性的逐步提高（水资源供需关系的变化）而逐渐发展和逐步形成的。稀缺性是水资源价值的基础，是水资源价值论的充分条件，也是市场形成的根本条件。根据自然资源的定义，水之所以成为资源，是因为其相对的稀缺性。水资源之所以有价值，首先是因为在现实社会经济发展中的稀缺性。水资源的价值也存在逐渐从无向有、从低向高的过渡过程。

开发利用的水资源在一定程度上凝结了人类劳动，而且并不是用户自己投入劳动所得，只能通过交换来获取使用权。因此，开发的水资源属于商品,具有价格,可以进入市场,它具有商品的一般经济属性。

(一)水具有使用价值

使用价值是商品的必要条件,而不是充分条件,也即是说具有使用价值的东西不一定是商品,但是商品一定具有使用价值。

毫无疑问,水能满足人们某种需要,也就是说,水具有使用价值:水是维持生命活动的基础;工农业、社会生产力等的发展都离不开水的支持;水是生态系统的重要组成部分,参与生态系统的循环,保证生态系统的更新再生和持续发展;水有自净作用,对其中杂质有沉淀、稀释等物理、化学净化功能等。水的这些价值概括起来分别为维持生命的价值、支持经济社会发展的价值、生态价值、环境价值、文化价值等多个方面。实质上,人类对水资源开发、利用、保护、治理的过程就是对水资源使用价值认识和实现的过程。

(二)水具有价值

价值是人类一般劳动的凝结,也即是物化了的人类劳动。水资源在其再生产过程中,凝结了人类劳动,所以是具有价值的的,这种价值决定了它的有用性。水资源的稀缺性和开发利用条件影响了其价值大小。产品水是通过人工干预获得的那部分水资源,无论是拦河筑坝还是修建沟渠、建立自来水厂等,所有的工程措施和非工程措施都是人类脑力劳动和体力劳动的结果,而物化了的人类劳动就是价值。所以说,水是一种商品,具有价值。随着经济发展、人口增长和生活水平的提高,人类对水的需求越来越大,水资源逐渐呈现短缺状况,而且形势愈来愈严峻,水的价值也随之升高。

我国宪法规定:水资源是属于国家所有即全民所有的自然资源,国家保障它的合理利用,禁止任何组织或个人用任何手段侵占或破坏。国家为了体现自己的所有权,对水资源进行管理和保护,使其得到合理、有序和高效利用,向申请使用者征收一定的反映所有权与使用权关系的费用——水资源费,这样不仅体现了国家的所有权,更表明了天然水资源具有价值。

水资源具有的使用价值与价值充分体现了水资源的经济属性。

二、水资源价值的内涵

水资源价值的内涵主要体现在三个方面:水资源的稀缺性价值,水资源的产权价值和水资源的劳动价值(辛长爽等,2002)。

(一)水资源的稀缺价值

现代经济学研究的核心是资源的优化配置问题,特别是稀缺资源的优化配置。只有稀缺的资源才会有经济学意义上的价值。正是由于水资源的稀缺性,才使得我们关注水资源的可持续发展,致力于研究水资源价值,使其能够与经济社会协调发展。也正是由于水资源的稀缺性,水资源"取之不尽,用之不竭"的传统观念正在发生转变。

(二)水资源的产权价值

产权就是财产权利,它是经济运行的基础。确定水资源产权价值的主要依据是马克思的地租论。地租是为了租用土地而必须在一定期限内按契约规定支付给土地所有者的实物或货币额。在西方经济学中,"土地"一词的意义非常广泛,并非单指土地这一单纯的自然资源,而是泛指包括水资源在内的一切自然资源。自然存在的水资源,不论被开发利用与否,由于水资源产权的垄断性,它便成为一种财产,归国家和集体所有,实行所有权和使用权的分离。所以,水资源所有权和使用权的让渡就成为一种有价值的水资源权属关系转移的经济行为。

(三)水资源的劳动价值

主要是指水资源所有者在开发利用和交易中对其数量和质量的管理所产生的劳动价值。马克思劳动价值论认为:价值是人类无差别的劳动成果,商品的价值是由凝结在商品中的必要劳动时间决定的。水资源作为自然界的产物,似乎并不具有劳动价值。但事实上,人类在不断开发利用自然资源的过程中,已经使自然资源刻上了劳动的烙印。随着水资源短缺现象的日益严重,人们逐渐认识到水资源与经济协调发展的重要性,人们为了保护水资源、促进水资源的可再生,使其与人类社会的发展同步,付出了艰辛的努力。因此,人类参与开发、利用和保护水资源已经凝结了人类劳动,已经具有了劳动价值。水资源的劳动价值主要包括:水利规划、水资源保护、水环境监测、水文观测、气象观测等各种投入。

综合上述几方面的分析可见,水资源价值取决于水资源的稀缺价值、水资源的产权价值和凝结在水资源中的劳动价值。其中,稀缺性是水资源价值存在的首要条件、水资源产权和劳动是水资源价值实现的基础。

目前关于水资源价值理论既形成了某些共识,也存在部分分歧,甚至还有尚未认识全面的部分。对于水资源,特别是未经开发利用或没有人类涉足的水资源具有价值,目前在资源价值理论界已达成共识,水资源的有价理论也已明确。然而,水资源价值具体由什么来决定,目前分歧比较大,有劳动价值论、效用价值论、稀缺价值论和存在价值论等多种决定水资源价值的理论,这些理论都从不同的角度论述了水资源价值的决定因素。至于水资源价值主要包括的内容目前认识还不够全面,部分研究认为水资源价值包括:①天然水资源价格;②水资源前期耗费的补偿;③水源涵养和保护费用的补偿;④水资源现行宏观管理费用的补偿。

三、水资源价值补偿理论

水资源价值理论的分析说明水资源的价值是水资源与人类之间关系的表现。水资源具有满足人类需要、生存和发展的作用,这种作用表现在水资源功能性的效用上。同时人类对水资源的反作用也会对水资源数量和水体质量产生一定的影响,这种影响表现在水资源数量和水体质量的折损费用上。这种水资源功能效用对水资源数量和水体质量折损费用的关系也可以称之为水资源价值。实施水资源数量和水体质量折损费用的补偿是实现水资源可持续利用的前提,也是抑制折损扩大的有效途径。

水资源价值不仅包括因水资源可以提供给人类可利用的水资源效用,而且还包含人类通过保护和改善环境,为补偿水资源的损耗所支付的费用,即水资源保护投入费用。合理补偿水资源保护投入费用,能协调人类与水资源的关系。我国经济学界的孙毅先生等提出的经济补偿论为自然资源价值补偿理论提供了新的内容。他们指出,经济补偿是研究如何对自然资源包括对其他诸如人力、信息、管理、技术、社会、基础设施等经济资源进行计价、折旧、核算,进而对整个社会再生产过程中消耗的一切物质劳动资料,进行必要的价值补偿和实物替换,探索合理调节人类经济活动和补偿之间的基本规律,以协调人与资源、人与环境关系的一门科学(孙毅和张如石,1991)。

随着经济的发展,人类活动对水资源的影响越大,水资源数量和水体质量折损的费用也就越大,保护与改善水资源环境的难度也就越大,相应投入费用也越大。在当今时代,这种影响已不容忽视。恩格斯曾讲过:价值是一种关系,是费用对效用的关系,这两者并存时,人类对自然资源的单方面利用就转化为双方面的相互作用、相互影响,使人类与自然资源这种主客体之间的关系构成发生变化,也就是由只有效用、没有费用、主客体之间关系构成不完整到费用与效用同时存在,并相互作用。人类与水资源之间构成的完整化,使得水资源不仅具有使用价值,而且也具有价值。水资源价值补偿即是补偿水资源价值的损耗与所支付的保护费用,是协调人类与水资源关系的必然要求。

第二节　水资源的准公共物品性理论

水资源具有准公共物品的性质是从其消费使用的特殊性来确定的。首先需要了解有关公共物品的概念与特征。

一、公共物品的概念、分类与特征

在日常生活中，我们消费的大多数物品是到市场上购买，买来之后，自己可以独享其效用，别人无法享用，这种只能一个人享用的物品称之为私人物品(private goods)。公共物品(public goods)是私人物品的对称，它是指这样一种物品，在不影响你享用的同时，别人也可以享用，并且你也很难阻止别人享用，如国防、交通、路灯等。公共物品有好坏之分，比如，良好的治安环境，优良的社会风尚是好的公共物品；而尔虞我诈、偷抢拐骗的社会状况和无序的交通则是坏的公共物品。公共物品作为特殊的产品具有如下特征(郭伟和，2001)：

(1)消费上的非竞争性(Non-rivalry)，指从经济学的角度，增加一个人消费的边际成本为零，即增加一个人消费对原有的消费者没有任何影响，大家可以同时消费，相安无事。有人把这一特征作为公共物品最基本的特征。

(2)占有上的非排他性(Non-excludability)，指消费者不可能毫不费力地独占这一物品，若要排斥外人消费，须花费很大代价。

(3)消费上非拒绝性(Non-refusal)，指只要身临其境的消费者客观上无法拒绝消费这一物品，也就是说不管你是否同意，都得消费同等数量的物品。这一特征是相对于第二特征而言的，占有上的非排他性，是指消费者主观想独占却不能独占；消费上的非拒绝性是指消费者不想消费却难以拒绝消费。

(4)消费上的不可分性(Non-divisibility)，指公共物品只能整体消费,不可能分成小份额消费。这一特征正是上述第(二)第三特征的基础。就是说,正是因为公共物品不能分成小份额消费,只能整体消费,所以才既无法排斥他人消费,自己也无法拒绝消费。

除上述特征之外,公共物品还具有消费数量的一致性、消费评价的差异性以及消费上的道德风险等特征。因此,公共物品具有消费或使用上的非排他性和非竞争性两个鲜明的特征。同时具备这两个特征的是纯公共物品,如国防安全、社会治安、社会风尚、法律规范等;具有消费的排他性而不具有竞争性或具有消费的竞争性而不具有排他性的物品为准公共物品,如交通、公园、图书馆以及水资源等。

二、水资源准公共物品的特性

我们经常讲的准公共物品实质上是"公用品"(public utility)或公用事业提供的商品,从消费的排他性看仍然是私人物品,但是边际消费的成本很低或者排斥部分人消费的成本却很高。典型的公共物品例如国防,它提供给新增加一个人的边际成本是严格为零的,而且要阻止人们得到它又是不可能的,国防在保护公民甲的同时,也保护了公民乙。准公共物品,某种程度上具有公共物品的特性,如公路、高等教育等,增加一个人对它的消费所花费的边际成本是很低的,要想阻止某些人对它的消费可以通过设立收费的办法解决,解决收费问题但也是有成本的,所得收入至少要大于因收费而产生的成本才具有可行性。

水资源是公共资源,是一种准公共物品,是具有竞争性但不具有排他性的准公共物品。本书对它的解释如下:

(1)水资源使用不具有排他性是因为尽管《水法》明确水资源的所有权属国家,但是水资源的使用权目前还无法有效确定,即实现水资源初始权的分配存在一定困难。因此,无法向所有水资源的使用者(或破坏者)直接收费,从而也就无法排除任何人对水资源的使用。

(2)水资源使用具有竞争性是由于水资源的稀缺性造成的。用水的竞争性是指一个人对水资源的使用会影响他人对水资源的使用,如跨流域调水的受水区使用一定水量,那么调水区就必须放弃对这部分水量的使用。水量有限时,上游增大用水,下游就需减少取水,他们之间存在竞争性用水。

前面提到准公共物品从消费的排他性看仍然是私人物品,只是边际消费的成本很低或者排斥部分人消费的成本很高。当采取有效的方式排斥共用的那部分人的消费,准公共物品可以成为私人物品。譬如,从经济学的观点来看,存在于某区域的地下水是一种典型的准公共物品,具有非排他性特征,即该物品供应一个厂商的同时,不排除供应其他厂商的可能性。只有当一个厂商通过有关部门合法的取水许可后抽取而得到的那部分地下水,才成为具有排他性的私人物品(阎胜利,1998)。

由于公共物品具有非竞争性和非排他性,在使用过程中不免有人产生"搭便车"的动机而不愿接受承担付费的责任,此时利用市场机制无法生产和提供公共物品,在一定条件下只有依靠政府行政职能来执行公共物品的供给。水资源是不具有排他性的准公共物品,开发利用受益群体庞大,而且兼有公益性功能,所以仅利用市场机制来配置水资源的使用,目前来看具有非常大的困难,因此,对于水资源开发利用中存在的危害水资源的行为,政府干预必不可少,如用水浪费的行为需要政府制定合理的水价来抑制等。

第三节　水资源利用的外部性理论

一、外部性概念及分类

水资源等环境物品具有公共物品性质,其消费上的无排他性及供给上的非竞争性,易产生"搭便车"现象。使用却不付费,这正说明了类似环境物品的水资源本身具有的外部效应性。

(一)外部性概念的提出

人类社会经济活动范围的扩大,必然产生大量的环境污染、生态破坏、资源浪费等问题,这些问题在经济、环境、资源等领域已日益受到关注。20世纪70年代,逐渐产生了一个新的经济术语"外部性"(Externality)。最早提出外部性问题的是英国经济学家马歇尔,他用"外部经济"一词来指在一个产品部门内部各厂商之间相互产生的一种积极的刺激和影响,而这种积极的刺激和影响在生产成本中反映不出来,是外在于单个厂商的生产活动,所以称"外部经济"。

后来马歇尔的学生庇古在此基础上进行充实完善,提出了系统的生产外部性理论。庇古认为,生产厂商的边际私人净产值和边际社会净产值不一致的现象,就是生产的外部性。如果边际私人净产值大于社会净产值,则出现边际社会成本,即一个人或企业的行为对其他人或企业造成不利的影响,称为"外部不经济";如果边际社会净产值大于边际私人净产值,则出现边际社会收益,即一个人或企业的行为对其他人或企业造成有利的影响,称之为"外部经济"。而且庇古发现不但生产活动有外部性,消费活动也有外部性(郭伟和,2001;马中,1999)。

归纳起来,所谓经济的外部性,又叫"外部经济效应",经济学上是指经济当事人的经济活动无意间对别人的经济福利状况造成好的或坏的影响,而自己又没有得到补偿或没有给别人以合理的补偿,就是外部经济效应。用数学语言来表述,就是某经济当事人的福利函数的自变量中包含了他人的行为,而该经济当事人又没有向他人索取补偿或提供报酬,即

$$F_j = F_j(X_{1j}, X_{2j}, \cdots, X_{nj}, X_{mk}) \quad j \neq k \qquad (4-1)$$

这里,j 和 k 是指不同的个人(或企业),F_j 是 j 的福利函数,

$X_i(i=1,2,\cdots,n,m)$是指经济活动。这个函数表明,只要某个经济当事人j的福利受到他自己所控制的经济活动X_i的影响的同时,也受到另外一个人k所控制的某一经济活动X_m的影响,就存在外部效应。

(二)外部效应的特征

(1)外部效应是独立于市场机制之外的。也就是说,外部影响没有通过正常的市场交易就直接产生。

(2)外部效应是无意产生的。产生外部效应的当事人并不是有意的,否则就是犯罪或行善。

(3)外部影响是相互的。一个人说另一个人对他产生了好的或坏的影响,肯定就在于他认为他有权利这样,另一个人没有权利做那样的事。但是如果产生影响的人说他有权做,如果不让他做,就等于对他产生影响。

(4)外部效应的范围一般限定在局部范围。

(三)外部性容易导致资源不合理配置

从经济学角度考虑,任何经济活动都追求效益最大而成本最小,在不合理经济活动中对资源的破坏和环境污染就是因为把这种外部成本转嫁给了社会大众,从而使该经济活动的私人总效益大于私人总成本,这时达到的均衡就是边际私人效益(MPB)等于边际私人成本(MPC),使私人获利最大,但这时却不能使社会福利(社会收益)最大,因为社会效益最大的基本条件是边际社会收益(MSB)等于边际社会成本(MSC)。其结果就是企业产品售价低,市场扩大,利润增加,从而使较多的社会资源被分配到该产品的生产中,这一部分社会资源将是低效率或无效率的(陈伟,2001),如图 4-1 所示。

在图 4-1 中,$MSC = MPC + MEC$。按照利润最大化的原则(边际收益等于边际成本),该企业在 $P_0 = MPC$ 时获得最大利润水平,相应产量为 Q_e。但如果从社会的角度来看,该企业在决定

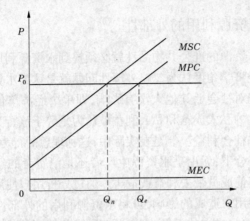

图 4-1　外部不经济性对资源配置的影响

其最大产出时,应该考虑其生产中的所有费用,包括私人费用和外部费用,使产品价格与边际社会成本相等,即 $P_0 = MSC$。此时该企业的合理产出水平应为 Q_n,而不是 Q_e。由此可见,该企业的最佳产出水平 Q_e 和社会考虑的最佳产出水平 Q_n 之间的差额($Q_e - Q_n$)代表了该企业的"过剩量",而该企业用于生产最后的($Q_e - Q_n$)单位产品的资源,如果用在别的生产部门或别的企业则可以具有更大的生产价值,这时资源没有达到最佳配置。

外部性的讨论还可以延伸到代际和国别。当代人的某些看似能够避免当代环境污染或促进目前经济发展的行为有可能给后代造成严重的环境危害,从而对后代人造成外部成本。政府可以通过税收等经济手段对当代人有可能向后代人传递的外部性进行调节。同样道理,在开放经济的大背景下,一国环境污染问题可能会自然地以各种形式向别国扩散。此外,个别发达国家为保护本国利益而将环境污染造成的损失转嫁给发展中国家的例子也层出不穷,发达国家往往会不负责任地将本国因环境问题而淘汰的设备和技术出口给发展中国家。

二、水资源利用的外部性

述及水资源的准公共物品性就必须提到水资源利用的外部性问题。从经济学角度认为忽略外部性问题就是认为水资源的开发利用及消费对社会上其他人没有影响,即单个经济单位从其经济行为中产生的私人成本和私人利益被认为是等于该行为所造成的社会成本和社会利益。但是在实际中,这种理想的行为极少存在。在大多数场合下,无论是水资源生产者还是消费者的经济行为都会给社会其他成员带去利益或危害。通过分析用户使用水资源对外界或其他用户造成的影响,可将水资源利用的外部性概括为代际外部性、取水成本外部性、水资源存量外部性、环境外部性、水污染外部性、水源保护外部性等,分述如下:

(1)水资源的代际外部性。由于作为地球自然禀赋的水资源,生存在地球上的各代人具有共享权。当代人在利用水资源时,一方面为追求自身效应最大化,对水资源的需求无限,利用和选择策略都按照自己的意愿,给下一代用水产生影响;另一方面试图努力降低水资源开发的成本,其结果势必首先开发那些容易开发、优质高效的水资源,提高资本收益率,而给后代人留下的则是难以开发、质量低的资源,势必增加后代人开发水资源的单位成本。这两种情况都造成当代人利用水资源的代际外部性。

(2)取水成本的外部性。一个水资源使用权持有者若少抽取一单位的水,将会降低其他水资源使用权持有者的取水成本,但是不会得到相应的补偿;反之,将会增加其他水资源使用权持有者的取水成本。或者说上游的水资源使用权持有者增加取水量将影响到下游水资源使用权持有者的收益,而不必承担相应的成本。这便是水资源利用的取水成本外部性。

(3)水资源存量外部性。在一定时期、一定流域内,水资源存量是固定的。当某一水资源使用权所有者在第 T 期多使用一单位的水,将减少其他水资源使用权所有者在现在或将来可获取的水资源存量,因此存在你多用我就得少用的现象,这种现象即为水资源存量外部性。

(4)环境外部性。水资源的过度开采利用,造成生态环境的破坏,如地下水位的下降、海水倒灌和土壤盐碱化等,降低水资源的再生能力,增加社会边际成本,而使用者并不承担相应的成本,造成了水资源利用的环境外部成本。

(5)水污染外部性。水资源一经使用便将以污水的形式排出使用区,不达标排放的污水排入河道将造成水体污染,影响污水排入区生产生活的正常进行。增加了社会的边际成本,而用水者却不负担排污引起的这部分成本,其私人成本小于社会成本。

(6)水源保护外部性。水源区在上游地区建设涵养林或约束经济发展,投入大量资金、人力、物力及承受经济损失,为下游用水受益区提供安全的水源,增大了社会边际效益,这个边际效益远远大于上游水源区在保护水源时获得的"私人边际效益"。因此,水源保护产生了正外部性。

根据上述关于水资源利用外部性的描述,可以看出:水资源利用产生的代际外部性、取水成本外部性、水资源存量外部性、环境外部性、水污染外部性等都给社会造成了未由私人承担的外部成本,因此产生的是外部不经济性。而水源保护则是给社会带来未获得补偿的外部效益,因此是一种外部经济性。

三、水资源合理利用的外部成本内部化要求

根据经济学理论,无论是外部不经济效应还是外部经济效应都会造成生产者私人成本(收益)不同于社会成本(收益),引起帕累托效率的偏离,导致资源的不合理配置。为保证资源的可持续利用,必须消除私人成本(收益)与社会成本(收益)的差异,达到帕累托效率最优。外部成本(收益)内部化是实现帕累托效率最优的

有效方式。所谓外部成本内部化,就是使生产者或消费者产生的外部成本,进入他们的生产和消费决策函数,由他们自己承担或"内部消化"。外部成本内部化的途径是多种多样的,可以通过将征收(补贴)相应于外部成本(收益)的费用或税收,使外部成本纳入私人成本(收益)之中,达到私人成本(收益)与社会成本(收益)一致,以促进资源的持续开发利用。

为了实现资源的合理利用,水资源开发过程中产生的外部效应有必要实施外部成本内部化,以消除外部效应的不利影响。水资源合理利用外部成本的内部化方法主要是将评估的外部成本纳入供水成本费用里,考虑通过制定合理水价,征收用水水费的形式来实现。譬如,水污染造成的外部效应,其产生的外部成本应该是水污染给企业生产和居民生活造成的损失,包括当代人的损失和后代人的损失。损失的形式有:产出水平减少、过早死亡或发生疾病而致使收入减少等。但是由于城市污水造成的外部性主要以公共外部性的形式发生,要识别这些损失并把他们予以量化却是十分困难的。所以,可拟以污染治理费用作为外部成本的近似。将治理环境污染、避免污染损失的费用视为外部成本的评估方法。在其他方法困难重重的情况下,用防护费用法来评估外部成本并计入水价实际上是现实可行的最好方法。

第四节　水资源价值构成及评价

一、水资源价值构成

水资源具有价值已得到共识。当前用于论述水资源价值的理论有多种,如马克思劳动价值论、西方的效用价值论、存在价值论、哲学价值论及环境价值论等。运用马克思的劳动价值论来论证水资源价值,关键在于水资源是否凝集着人类劳动。效用价值论则是从物品满足人的欲望能力或人对物品效用的主观心理角度来解释价值。无论是用效用价值论还是劳动价值论来评价水资源价值，常常缺乏与天然水资源特性之间的联系。

水资源作为一种环境资源，不仅具有满足当代人眼前所利用的经济使用效益，而且具有未来及后代人所能享用的效益和维持当代或未来生态系统的功能。从环境资源角度评价水资源的价值能比较全面考虑水资源对社会、经济及环境等发挥的效益，也能充分体现水资源的效用价值。

根据环境经济学理论，水资源价值的构成，主要由直接价值（D_w）与间接价值（ID_w）组成。与一般意义上界定资源直接价值与间接价值的内涵所不同的是，这里所谓的水资源直接价值是水资源被取用作为投入物进行生产、维护生态等功能时所体现的价值，既有生产价值，也有生态维护功能价值等。而水资源间接价值是指水资源的机会使用价值，是指水资源在今后被利用可能产生的价值（I.M. SEYAM，2000）。水资源价值构成如图 4-2 所示。

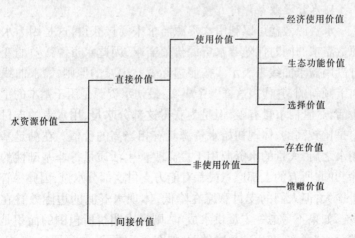

图 4-2　水资源价值构成

其中"经济使用价值"与人们生存的基本物质需求紧密相联,它是水作为投入物在农业、工业、生活以及发电等进行生产时所产生的价值;生态功能价值主要体现在防洪、生物多样性、废物净化等方面;为人类提供将来的使用价值为资源的"选择价值";为后代遗留的价值又称为"馈赠价值";继续存在的功能价值即为"存在价值"。

二、水资源直接价值评价

(一)水资源经济使用价值评价

水作为不同行业生产、生活的投入物能带来不同的效益,如水用于灌溉能产生农业产值效益,用于工业生产能产生工业产值效益,用于发电能产生发电效益,用于生活能产生居民生活效益等,这些效益都是水资源经济使用价值的具体体现。因此,区域水资源经济使用价值的评价可以通过评价区域水资源发挥的效益来近似实现,即所谓的效益价值法。

1.水资源效益评价

水资源效益可以利用水资源需求来间接获得,这是因为水资源量需求的同时伴随着水资源价值需求,因此水资源效益的变化可以用需求曲线来表示。按照边际效益递减的原则,需求曲线是向下倾斜的,它代表这样一个事实:最初水资源是用于基本的生产生活,尽管需求量有限,但是为获得这部分水量,用水者的支付意愿是比较高的,体现初始水资源具有相当高的价值。在满足基本用水之后,大量的水资源用于提高改善生活质量等非基础性的用途,并非所有的人都愿意或都有能力支付这部分水量,因此尽管水量增大,但人们的支付意愿在降低,体现水资源的边际效益在减少。如果不考虑一定量供水成本,则需求曲线所包围的面积是这部分水对社会产生的总净效益,如图4-3所示。

需求曲线受季节、地区、水资源分配系统、社会收入分配等许

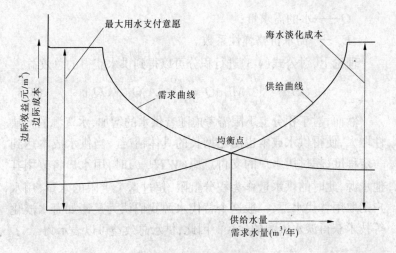

图 4-3　供给与需求曲线

多因素影响,并随着这些因素的变化而改变。为方便研究水资源的需求关系,常常将其他影响因素作为常量来考虑,而假定水的需求量的变化仅依赖于供水水价这一单一因素变化而变化。

　　事实上,确定一条合适的经济需求曲线非常困难,但可以寻找近似的方法来解决这个问题。根据实际水资源需求关系,一般水资源需求曲线包含三个参数,即同一时期的均衡供水量 Q 和均衡价格 P(一定水量的支付意愿等于该供水水平下的供水价格)、合理的需求价格弹性系数 E_d,它们之间的函数关系表达了供水的需求曲线,可以用以下简单的公式来表示:

$$P = A_d \times Q^{1/E_d} \qquad (4\text{-}2)$$

　　通常认为均衡供水情况下水资源的边际效益 MB 等于该供水水平时的市场价格,则上述关系表示为:

$$MB = A_d \times Q^{1/E_d} \qquad (4\text{-}3)$$

式中:MB——供水的边际效益;

　　　A_d——指数需求曲线常量;

　　Q——水的需求量；

　　E_d——需求价格弹性系数。

　　理论上,对公式(4-3)进行积分可以得到供水获得的总效益:

$$GB_w = \int_0^{Q_i} MB\mathrm{d}Q = \int_0^{Q_i} \left[A_d Q^{1/E_d} \,\mathrm{d}Q \right] \tag{4-4}$$

　　然而,对于积分上下限需考虑随着供水的增加,水资源的稀缺性增大,使得供水成本也随之增长的具体情况。当供水成本达到一定程度,超过用水户的支付意愿($WTP_{\max}$)时,用水户将改用其他水源,此时的供水量作为积分上限,超过这个上限的水量,用水户则取用替代水源,一般这个替代水源我们认为是诸如海水淡化等技术获得淡水资源的途径。因此,供水总效益可以表示为:

$$GB_w = \frac{A_d}{\left[1/(E_d + 1) \right]} \left[Q_i^{(1/E_d+1)} - Q_a^{(1/E_d+1)} \right] + Q_a \times WTP_{\max}$$

$$\tag{4-5}$$

其中:　　　　　　　$Q_a = \left[\frac{WTP_{\max}}{A_d} \right]^{E_d}$

　　2.供水成本计算

　　事实上,水资源开发利用总是有一定的投入,供水具有一定的成本,而且随着用水量的增加,供水成本也在不断增长。供水成本增长的主要原因是由于水资源越来越稀缺,大量水资源被消耗,地下水位下降等,造成开采成本增长。经济学上,关于成本的变化可以用供给曲线来表示,而且对于确定的供水量,供给曲线以下所包围的面积为该水量供给的总成本,如图4-3所示。

　　假定生产是在供水与其他投入最优化的情况下进行,除水以外其他投入成本固定,那么供水成本的非线性变化(通常呈指数变化)将是导致产品总成本变化的唯一原因。因此,寻求供水的成本曲线是非常必要的。供水总成本有两个重要的组成,一部分是存蓄或提取水量及输送等基础设施投入成本,也即基本成本,它是抽取水量的线性函数,另一部分是取水的成本,它与水资源稀缺程度有关,当水资源稀缺程度高时,供水成本也变得非常高,它们之间呈指数变化关系。因此,供水边际成本函数可以用下式表示:

$$MC = B_s + A_s \times Q^{\frac{1}{E_s}} \tag{4-6}$$

式中:MC——供水的边际总成本;

    B_s——供水的基本成本;

    A_s——指数供水曲线的常量;

    Q——供水量;

    E_s——供给弹性系数。

对公式(4-6)进行积分可以得到供水的总成本,即公式(4-7)。积分下限的取值也应当酌情选择,若积分下限取零,积分的结果将是无穷大,这不符合实际。如果供水成本相当高,用水户对高成本供水并不非常渴望,而去设法寻找到其他更廉价的替代水源。实践中积分下限一般选择用水户水费的最大支付意愿(WTP_{max}),即愿意为获得供水而支付的最大供水成本。用水户最大支付意愿是替代水源的取用成本。一般这个替代水源我们认为是通过海水淡化等方式获得的淡水资源。因此,用水户对供水的最大支付意愿为诸如海水淡化等所耗费的成本。即供水总成本可以表示为公式(4-8)。

$$TC_w = \int_0^{Q_2} C\mathrm{d}Q = \int_0^{Q_2} [A_{s,i}Q^{1/E_s} + B_s]\mathrm{d}Q \tag{4-7}$$

$$TC_w = \frac{A_{s,i}}{[1/E_s + 1]} [Q_1^{(1/E_d+1)} + B_s \times Q_2] + (Q_2 - Q_1) \times C \tag{4-8}$$

式中:Q_2——用水户需要取用总水量;

    Q_1——达到用水户最大支付意愿时的供水量;

    C——替代水源成本。

3. 水资源经济使用价值评价

公式(4-3)积分可以得到供水的总效益公式(4-5),公式(4-6)积分得到该供水的总成本公式(4-7)。区域用水总效益与供水总成本之差为区域水资源的净效益,即区域用水的经济使用价值。通过计算区域内不同行业用水的总效益($GB_{w,i}$)与供水总成本($TC_{w,i}$)的差异,可以分别计算各行业用水资源的净效益($NB_{w,i}$),然后综合确定水资源的总净效益 NB_w,即流域水资源的使用价值:

$$NB_{w,i} = GB_{w,i} - TC_{w,i} \qquad (4\text{-}9)$$

$$NB_w = \sum_{i=1}^{m} NB_{w,i} \qquad (4\text{-}10)$$

则单位水资源经济使用价值 U_w 为水资源产生的总净效益除以用水总量 Q。

$$U_w = \frac{NB_w}{Q} = \sum_{i=1}^{m} \frac{NB_{w,i}}{Q} \qquad (4\text{-}11)$$

经济使用价值与人们生存的基本物质需求紧密相联。效益价值法是通过评价水资源用于各项生产活动产生的效益来估算水资源经济使用价值。由于各项生产活动相对来说都是比较实质的物质生产,可以用市场价格来计量,水资源效益评价便有了实现的途径。当然,这种评价方法要求的信息量比较大,涉及以水作为生产投入物的所有生产领域与部门,包括农业、工业、养殖、发电等,因此全面评价水资源的总体效益在信息不完备的地区会遇到一定困难。

(二)水资源生态功能价值评价

相对而言,有形的比较实的物质性商品价值由于具有市场价格,计量比较容易;而无形的比较虚的功能性的服务价值,即这里提到的生态价值,一般没有市场价格,计量起来要困难得多。尽管如此,对于生态功能价值的评价目前相关研究还是比较多的,亦取得了一些成果。评价的方法主要有市场价值法、旅行费用法、机会成本法、费用分析法、调查评价法等,我国学者李金昌在其著作《生态价值论》中全面介绍了生态价值的评价方法。

水资源生态功能价值(E_w)是指水资源作为生态支撑所体现的维持生态的价值。水资源的生态功能价值评价涉及到生态需水理论等新型理论,这些理论尚处于探索阶段,由于受作者专业知识所限以及研究时间限制,这里未对水资源的生态功能价值进行探讨,包括水资源选择价值、存在价值和馈赠价值评价研究都有待继续探索与研究。

三、水资源间接价值评价

这里指的水资源间接价值(ID_w)是指水资源的机会使用价值,是水资源未来被利用可能产生的价值。水资源间接价值的确定与水资源价值的流动传递分不开。水资源价值具有显著的时空性,而且价值的传递具有连续性与方向性。研究显示,水资源价值的传递与水资源流动的方向相反,即水资源价值是逆向水流传递,对于连续使用的水资源,获得的传递价值被视为水资源的间接价值。对于水资源价值的传递将在下一章做详细阐述。

水资源价值是由直接价值与间接价值共同构成。依据商品价值论,价格是价值的货币表现,因此水资源价值的货币体现是水资源价格,即 $P_w = D_w + ID_w$,以此可以有效确定水资源价格。

小　结

水资源补偿作为一项经济措施具有实施的经济理论基础,通过分析总结,本书从以下几方面探讨了水资源恢复的补偿经济理论基础:

(1)水资源价值理论。水资源是商品已成共识,它具有商品的使用价值与价值属性。水资源价值取决于水资源的稀缺价值、水资源的产权价值和凝结在水资源中的劳动价值。其中,稀缺性是水资源价值存在的首要条件、水资源产权与劳动是水资源价值实现的基础。价值补偿分析表明合理补偿水资源价值的损耗与保护投入费用,有利于协调人类与水资源的关系。

(2)水资源准公共物品特性理论。水资源是具有竞争性,不具有排他性的准公共物品,开发利用时受益群体庞大,而且兼有公益性功能,易产生"搭便车"现象。水资源准公共物品特性理论是水资源开发利用产生外部性的基础。

(3)水资源开发利用外部性理论。本书归纳的水资源利用的外部性主要有:代际外部性、取水成本外部性、水资源存量外部性、环境外部性、水污染外部性、水源保护外部性等。其中水源保护产生的主要是外部经济性,而其他几类主要引起外部不经济性。无论是外部经济性还是外部不经济性都容易导致资源的不合理配置。外部行为内部化的要求为水资源保护产生的效益和水资源开发利用造成的损失进行补偿提供了经济理论基础。

基于上述经济理论基础,无论是进行水资源价值补偿,还是实施水资源保护效益和开发利用水资源造成损失补偿,都可对水资源恢复的目的起到直接或间接的经济激励作用。明显的,对因污水排放引起的水环境破坏外部性,通过征收排污费(税)使外部成本内部化,可直接刺激排污者实施减排措施,从而达到有效恢复水环境的目的;而进行合理的水资源价值补偿能促进水资源高效利用,是一种间接有利于恢复水资源的方式。

另外,合理评价水资源价值是进行补偿的前提,本章第四部分参照国内外对环境价值构成的分类方法,将水资源价值分为直接价值与间接价值两大类,每一大类按功能又包含若干小类。在探讨水资源直接价值的评估方法时,本书首次采用效益价值法建立了定量评价水资源经济使用价值的相关方法与模型。

第五章 水资源价值的运移与传递

　　水资源价值评价是实现水资源价值补偿的基础与依据。上一章分析了水资源价值的构成,并建立了相关模型对水资源的直接价值进行了评价。本章继续分析水资源价值的评估,主要是对水资源的间接价值进行分析评价。按照本书定义的水资源价值的内涵与构成,水资源间接价值与水流的运动密切相关,本章提出水资源价值的运移与传递概念,建立与水流循环相结合的水资源间接价值评价模型。水资源直接价值与间接价值共同构成了水资源的总体价值,作者力图以此为实现水资源价值补偿提供科学依据。

第一节 水资源价值运移与传递概念

　　由于水资源是一种时空分布极不均匀的自然资源,随着时间和空间变化十分明显,加上社会经济发展的空间分布不均衡性和时间的差异性,使得水资源价值也具有显著的时空性,即水资源价值表现出"流动"的特性,我们称之为水资源价值流。研究认为,价值流是生态系统特有的功能之一,它同物质流、能量流构成生态系统研究的主要内容,其本质是物化在生态经济系统中的社会必要劳动的表现。具体到水资源价值流还具有极其特殊的含义,它是指单位水资源量在不同时空条件下,因自然环境、社会环境、经济环境因素的差异而导致的水资源价值变化过程(姜文来,1999)。水资源价值流是水资源随着时间与空间的改变而发生价值传递的现象。水资源价值的传递具有连续性与方向性。水资源价值传递的方向与水文循环方向相反,即水资源价值由循环的后一阶段向上一阶段传递(如图 5-1 所示)(I. M. SEYAM,2000)。有关水资源价值及水资源价值流方面的研究已有不少成果,例如对水资源价值概念的认识、水资源价值流的特点等已有了较为深入的研究,但已有的研究大多停留在对水资源价值流的定性分析上,缺乏有效的定量分析研究。水资源价值流与水文循环有着密切的联系,本章试图从水资源价值与水文循环的内在关系入手,定量分析水资源价值流的变化规律,它对水资源补偿研究将有助于:①全面地评价水资源的价值,为实现水资源价值合理补偿提供依据;②更充分地认识水资源价值的变化规律,揭示水资源价值与水文循环的内在联系,有利于保障水资源价值耗费的等量补偿等。

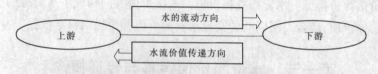

图 5-1　水流与水流价值传递方向比较

　　水资源价值的传递在不同水文条件下,传递方式不同。假如某点的入流流量过程与出流流量过程一致,不考虑水流的滞时及槽蓄量的变化,而且忽略水量损失,则出流的全部价值应完全传递给入流,这是最简单也是最理想化的水资源价值传递方式。然而,从入流到出流都有一个空间和时间过程。一般情况下,水资源价值的传递会存在滞时和槽蓄量的变化,即:①入流价值的变化落后于出流价值的变化;②当水流发生停滞,会引起槽蓄量的变化,槽蓄水量又可以产生新的价值。本次研究将按照:①完全忽略水流的滞时和槽蓄变化;②仅考虑水流的滞时;③既考虑水流的滞时也考虑水流的槽蓄价值。由浅入深分三种模型,来定量研究水资源价值流的传递规律。

第二节 水资源价值流的特性分析

在生态系统中,价值流是系统特有功能之一,它同物质流、能量流构成生态系统研究的主要内容。从企业经营生产角度考虑,价值流是生产创造价值的所有过程,包括商品生产的价值形成、增殖、转移和交换等过程,是一项从价值产生开始到价值最终实现结束的一组活动(王新荣,2002;张晓玲,2002)。在此过程中,人们通过有目的的劳动把自然物(物流)变成经济物(能流),价值就沿着生产链不断形成、增殖和转移,并通过交换关系得到实现(价值流)。

水资源价值流作为价值流的一种,具备价值流的一般规律,但也有别于平常经济活动中的价值流,"价值流"与水资源结合之后,由于水资源的诸多特性,水资源价值流具有极其特殊的特性。

(一)水资源价值流的逆向传递特性

水资源具有价值业已形成共识。水资源价值是在水资源的开发利用中体现出来的,是以水作为投入物进行生产、维护生态等功能时所产生效益的体现。水资源处于上游时比处在下游具有更多的开发利用机会,其机会效益也会较处于下游时大,随着水的流动,其机会效益会逐渐减小。依据水流的连续性原理,可以说,下游的水流价值是上游水流价值的组成部分。可以简单地认为,下游的水资源价值对于上游水资源价值的形成具有一定贡献,水资源价值是由下游向上游传递的。

依据环境价值理论,河流某断面水流的价值由该点水流的直接价值和间接价值(即水流在向下游流动时所产生的净价值)组成。在水流流动过程中,有可能被农业、工业、居民生活、养殖、发电、航运以及生态环境等所利用,不同用途会产生不同的收益。由于水资源的有限性,其开发利用存在许多互相排斥的方案,依据机会成本理论,该断面水流的间接价值等于水流的机会效益。

在生产、生活和环境用水中,既有消耗性用水(如农业、工业等用水),又有非消耗性用水(如航运、养殖、发电等用水)。

对于消耗性用水,水流在某断面的间接价值应为该点水流所具有的机会效益,由于处于上游的水流比处于下游水流具有更多的利用机会,所以上游断面水流的间接价值一般要大于下游断面水流的间接价值。对于非消耗性用水,水流在某断面的间接价值为该断面以下所有利用水流进行生产所产生的价值之和。由于水流所处的位置越靠近上游,被重复利用的次数越多,通常产生的价值也相应也越大。

在水循环的整个过程中,对于水流所处的每一点都具有相应的价值,且该点的价值都是"价值流"的一个片段(或说价值点)。"价值流"是水流动过程中价值点的轨迹集合,众多的价值点传动变化构成了"价值流"。无论是消耗性利用的水流还是非消耗性利用的水流,位于上游其价值与位于下游时的价值有关,换句话说,下游产生的价值对上游水流价值的形成有贡献。价值的增殖是发生在下游向上游的积累过程中,因此可以认为,水流价值是由下游向上游传递的,恰与水流流动的方向相反。按常规说法,空间上水流价值传递具有逆向性。

(二)水资源价值流的空间变化特性

受水资源时空变化和社会经济发展的不均匀性影响,水资源价值流随空间变化而变化。

(1)水资源空间分布极不均匀。这可以通过降水的空间分布得到良好的反映。大气降水是水资源补给的主要来源,尽管水资源量的多少最后由地理位置、蒸发等因素共同决定,但总的来看,通常水资源空间分布特征同降水极为相似。降水的空间不均匀导致水资源的空间分布不均,由此,空间水资源价值量也存在差异。

(2)社会经济发展的不均衡性。这是影响水资源空间价值变化过程的重要因素。由于经济发展不平衡,使得地区间产业结构差异很大。同等的水资源在不同空间内产生的效益不同,意味着水资源价值各地不同,因此水资源价值量具有明显的空间差异性。

(三)水资源价值流的连续传递性

水资源与其他固体资源的本质区别在于其所具有的流动性,它是循环中形成的一种连续动态资源。水资源价值流是在深刻反思传统经济学中,水资源等自然资源无价而存在严重缺陷的基础上,赋予了自然状态下的水资源等自然资源一定的价值。水资源的价值属性使水资源流动同时伴随价值传递。水资源流动的连续性注定水资源价值传递的连续性,而且水资源等自然资源的价值流的基点一般不为零。

(四)水资源价值流受国家宏观政策影响比较大

水资源是人类生存不可替代的自然物质,也是关系到国计民生的重要战略资源。即使市场上水资源供需矛盾异常尖锐,也不可能完全通过市场的价值杠杆来调节或者解决这种矛盾。为了国家整体利益,国家经常会采取相关政策对其进行宏观调控,有时国家的政策性倾斜会使正常的水生产成本难以收回,导致有关水生产企业严重亏损,依靠财政补贴度日。此时的水资源价值难以真正体现,水资源价值流也无可避免地受到严重影响。

综上所述,水流的价值不仅与水流所处地点产生的价值有关,而且与水流循环路径、水流在循环中所处的位置密切联系。同时,由于水资源价值流的传递特性,在某一确定地点、确定时间,水流的全部价值是该点的价值与该点以下水流流动过程中所产生价值的总和。譬如,如果将降雨作为水循环的起始点,按照上述思路可以推断,由此降雨产生的水流在循环流动过程中产生的所有价值都应归结为降雨产生的价值。由此可知,水流与价值流之间有类似之处,也有相异之处。不同之处在于水资源价值流在水流流动空间上是倒逆的。换句话说,在水流自然循环系统中某点的水资源价值等于该点水资源的直接价值与下一点向上传递过来的水资源间接价值之和。

水资源价值流与水资源价值理论是紧密联系的,只有具有价值的资源才会有价值的传递,即形成价值流。自然资源是一种财富,是经济社会发展的物质基础。劳动和自然界一起构成社会一切财富的源泉(姜文来,1994)。因此,自然资源包括未经人类劳动参与和尚未参与社会交易的天然资源都是有价值的,开发利用时应当付出代价,进行补偿,这就为自然资源的有偿使用奠定了坚实的理论基础,它从理论上彻底改变了"产品高价、原料低价、资源无价"的价格扭曲的现象。水资源价值论是研究水资源价值流理论的基础。

第三节　水资源价值流传递计算模型

水流是连续的。伴随水在空间的流动,水资源价值也在各点进行着连续地传递。通常可将水文循环的整个过程看作是一个水循环大系统,这个大系统是由若干个小系统组合而成。水循环过程的每一个环节都可以看做是一个小系统。每个环节水量输入可以认为是小系统的入流,水量的输出看做小系统的出流,如河道内除支流水流输入外,直接降落在河道内的雨水也可作为该河道系统的入流,地下水补给河道也是系统入流。同理,作为一个水流系统,出流的方式也是多种多样,生产生活取用水、地下补给、甚至蒸发消耗都是出流的方式。出流的水量有产生效益的,也有无谓损耗的。产生效益的水量体现为水流的价值。与产生效益水量相比,通常损耗水量占的比例相对较少。为了便于理解,本书暂时忽略损耗水量,即认为损耗水量与可利用水量一样,可产生同等效益。水循环的每一个小系统的出流价值向入流方向传递,形成价值流。系统水量平衡如图5-2所示。

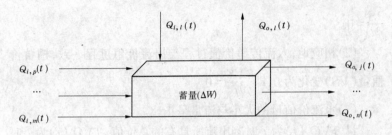

图5-2　系统水量平衡示意

$$\sum_{j=1}^{n} Q_{o,j}(t) = \sum_{p=1}^{m} Q_{i,p}(t) + \Delta W \qquad (5\text{-}1)$$

系统水流价值伴随水量出入变化发生传递,在不同的系统水文过程下,水流价值传递遵循不同的规律,以下将具体探讨三种前提条件下水流价值传递规律模型。

一、水资源价值流传递模型 I

假定水循环某环节存在 m 个入流与 n 个出流,$Q_{i,p}(t)$ 为该点 t 时刻第 p 个入流,$Q_{o,j}(t)$ 为 t 时刻第 j 个出流。而且水循环过程中各个系统的总入流过程与出流过程一致,即某时刻该点的入流对应一个出流,入流总量与出流总量相等,则水流价值随着水资源的流动发生传递。由于入流过程与出流过程一致,则系统的蓄量不发生变化,即水滞留的时间为零。同理,在水资源价值传递过程中,出流的价值过程与入流的间接价值过程一致,价值系统的蓄量价值量变化亦为零。根据水资源价值伴随水流的流动而发生传递的性质,入流价值的大小与入流量相关,在水流尚不能明确用于何种目的时,可认为单位价值量是相等的,亦即大流量具备较高的价值,小流量具备较低的价值,水流价值的传递可以根据流量过程来确定,这是最简单的一种传递模型。现对上述假设归纳如下:

(1)入流过程与出流过程一致,该点的槽蓄量(S)变化为0,即

$\dfrac{\partial S}{\partial t} = 0$。

（2）相应地，入流传递价值过程与出流价值过程一致，槽蓄价值量（VS）变化为 0，即 $\dfrac{\partial VS}{\partial t} = 0$。

（3）水流价值量的大小与流量呈正比。

设 $TVQ_o(t)$ 为 t 时刻出流所具有的总价值，$TVQ_i(t)$ 为 t 时刻有出流向上传递给入流的价值，根据上述入流传递价值过程与出流价值过程一致假设，则

$$TVQ_i(t) = TVQ_o(t) \tag{5-2}$$

t 时刻 p 入流所获得的传递价值将根据入流量的大小来确定，即

$$
\begin{aligned}
TVQ_{i,p}(t) &= TVQ_i(t) \times \dfrac{Q_{i,p}(t)}{\displaystyle\sum_{p=1}^{m} Q_{i,p}(t)} \\
&= TVQ_o(t) \times \dfrac{Q_{i,p}(t)}{\displaystyle\sum_{p=1}^{m} Q_{i,p}(t)}
\end{aligned}
\tag{5-3}
$$

入流的总价值为获得的传递价值与在该点的水资源利用（如生产、生活）所体现的价值之和，简单地说就是水资源的直接价值与间接价值的总和构成水资源的总价值，即

$$
\begin{aligned}
FVQ_{i,p}(t) &= DVQ_{i,p}(t) + TVQ_{i,p}(t) \\
&= DVQ_{i,p}(t) + TVQ_o(t) \times \dfrac{Q_{i,p}(t)}{\displaystyle\sum_{p=1}^{m} Q_{i,p}(t)}
\end{aligned}
\tag{5-4}
$$

$$FVQ_i(t) = \sum_{p=1}^{m} FVQ_{i,p}(t) \tag{5-5}$$

式中：$FVQ_{i,p}(t)$——t 时刻 p 入流的总价值；

　　　$DVQ_{i,p}(t)$——t 时刻 p 入流在该点的直接价值；

$FVQ_i(t)$——t 时刻入流的总价值。

直接价值涉及水资源作为生产生活中间投入物时所产生的效益,与用水部门的供求关系相关,在上一章中进行了阐述。而水资源的维持生态功能等价值的确定尽管在理论上有比较多的方法,但实际应用则具有一定的难度。由于研究时间的限制,水资源的维持生态功能等价值的确定将在以后的工作中继续研究。

二、水资源价值流传递模型Ⅱ

水资源价值流传递模型Ⅰ初步解释了水资源价值的传递规律。但是现实自然界水流过程中并不是像模型Ⅰ所假设的那样,某点的水流槽蓄变化量为零,而往往存在槽蓄量变化的现象,同时水资源价值流也存在槽蓄价值量变化的客观现象。因此,在空间上,入流与出流的水量与价值过程都可能存在不同步的现象,而且此现象是普遍的。模型Ⅰ将入流与出流的水量与价值量过程认为都是一致同步的,以此探讨水资源价值的传递规律,具有一定的局限性。

本模型考虑水流价值的传递存在滞时特性,建立水资源系统的动态价值模型,即水资源价值流传递模型Ⅱ,以求更好地反映价值传递的客观规律。

模型Ⅱ与模型Ⅰ考虑的前提基本一样。模型Ⅰ认为,水循环过程中各个系统的价值平衡传递,不考虑价值流动的滞时现象,而模型Ⅱ则以突出表现价值流动的滞时为特点,反映出价值传递的规律,由系统出流价值计算入流获得的传递价值过程。

众所周知,在有槽蓄的动态水资源系统中,系统总入流与总出流的水文过程线通常是不一致的,在某一时段内水的净平衡不为零,那么,在计算水流价值传递时,水在槽蓄中滞留的时段内产生的价值应当考虑。以下模型考虑了槽蓄变化:

$$TVQ_{i,p}(t) = TVQ_o(t) \times \frac{Q_{i,p}(t)}{\sum\limits_{j=1}^{n} Q_{o,j}(t)} \tag{5-6}$$

$$TVQ_i(t) = \sum\limits_{p=1}^{m} TVQ_{i,p}(t) \tag{5-7}$$

式中：$TVQ_o(t)$——t 时刻出流所具有的总价值；

$TVQ_{i,p}(t)$——t 时刻出流向上传递给第 p 个入流的价值；

$Q_{i,p}(t)$——t 时刻第 p 个入流流量；

$Q_{o,j}(t)$——t 时刻第 j 个出流流量；

$TVQ_i(t)$——t 时刻出流向上传递给入流的总价值。

由这个模型可以讨论在入流与出流不同情况下入流的间接价值：

(1)当某一时段入流大于出流，即 $\sum\limits_{p=1}^{m} Q_{i,p}(t) > \sum\limits_{j=1}^{n} Q_{o,j}(t)$ 时，则该时段入流的间接价值由该时段出流的价值加上下一个时段出流的价值，即

$$TVQ_i(t) = TVQ_o(t) + TVQ_o(t+1) \tag{5-8}$$

(2)当某一时段入流小于出流，即 $\sum\limits_{p=1}^{m} Q_{i,p}(t) < \sum\limits_{j=1}^{n} Q_{o,j}(t)$ 时，则该时段入流的间接价值由该时段出流的价值减去上一个时段出流的价值，即

$$TVQ_i(t) = TVQ_o(t) - TCQ_o(t-1) \tag{5-9}$$

公式(5-6)还可以表示为：

$$TVQ_{i,p}(t) = \frac{TVQ_o(t)}{\sum\limits_{j=1}^{n} Q_{o,j}(t)} \times Q_{i,p}(t) \tag{5-10}$$

可以看出，该模型中单位入流间接价值等于单位出流价值。

入流的总价值由获得的传递价值与在该点水流产生直接价值的总和构成，即

$$FVQ_{i,p}(t) = DVQ_{i,p}(t) + TVQ_{i,p}(t)$$

$$= DVQ_{i,p}(t) + TVQ_o(t) \times \frac{Q_{i,p}(t)}{\sum\limits_{j=1}^{n} Q_{o,j}(t)}$$

$$= DVQ_{i,p}(t) + Q_{i,p}(t) \times \frac{TVQ_o(t)}{\sum\limits_{j=1}^{n} Q_{o,j}(t)} \qquad (5\text{-}11)$$

$$FVQ_i(t) = \sum\limits_{p=1}^{m} FVQ_{i,p}(t) \qquad (5\text{-}12)$$

式中：$FVQ_{i,p}(t)$——t 时刻 p 入流的总价值；

　　　$DVQ_{i,p}(t)$——t 时刻 p 入流在该点的直接价值；

　　　$FVQ_i(t)$——t 时刻入流的总价值。

三、水资源价值流传递模型Ⅲ

水资源价值流传递模型Ⅱ在模型Ⅰ建立的前提基础上，进一步考虑了槽蓄价值量的变化，体现了水流价值传递存在滞时的客观事实，是水资源价值流传递模型的改进。但是，水资源价值流的传递还具有连续特性，模型Ⅰ与模型Ⅱ都未曾考虑。没有考虑到在出流价值与入流价值之间还有滞蓄水流价值。因此，上述两个模型表征的水流价值传递规律是不完全的。

依据水流价值传递的方向，出流的价值在向入流传递过程中要经历槽蓄这个状态，槽蓄状态处水流的价值是出流传递的间接价值与槽蓄水流直接价值之和。理论上，经由与入流更接近的槽蓄状态处水流价值建立传递模型是较上述两种模型更加合理的价值流传递模型。

考虑槽蓄价值的传递模型，首先从水量平衡中槽蓄水量平衡方程入手，分析槽蓄水量平衡方程与槽蓄价值量平衡方程的关联。

根据水平衡原理，槽蓄水量平衡方程可表示为：

$$\frac{dS(t)}{dt} = \sum_{p=1}^{m} Q_{i,p}(t) - \sum_{j=1}^{n} Q_{o,j}(t) \tag{5-13}$$

$$S(t) = S(t-1) + \sum_{p=1}^{m} Q_{i,p}(t) - \sum_{j=1}^{n} Q_{o,j}(t) \tag{5-14}$$

同理,依据价值平衡,槽蓄水资源价值平衡方程可表示为:

$$\frac{dTVS(t)}{dt} = \sum_{j=1}^{n} TVQ_{o,j}(t) - \sum_{p=1}^{m} TVQ_{i,p}(t) \tag{5-15}$$

$$TVS(t) = TVS(t+1) + \sum_{j=1}^{n} TVQ_{o,j}(t) - \sum_{p=1}^{m} TVQ_{i,p}(t) \tag{5-16}$$

由于水流价值传递的连续性与逆向性,出流首先将其价值传递至发生槽蓄处,而滞留的水流在此产生的价值在模型Ⅲ中不容忽视,因此,由槽蓄处向入流处传递的价值除了由出流传递给槽蓄点的间接价值 $TVQ_{os}(t)$ 外,还包含部分滞蓄水流在槽蓄点所产生的直接价值 $TVS(t)$,即:

$$TVQ_s(t) = TVQ_{os}(t) + TVS(t) \tag{5-17}$$

水流价值由槽蓄点向入流处传递,由模型Ⅱ:

$$TVQ_{i,p}(t) = \frac{TVQ_s(t)}{Q_s(t)} \times Q_{i,p}(t) \tag{5-18}$$

考虑了槽蓄价值后,我们认为,槽蓄入流量 $Q_s(t)$ 完全反映了出流量 $Q_o(t)$,即 $Q_s(t) = Q_o(t)$,由式(5-5)与价值传递的连续性,式(5-6)可表示为:

$$TVQ_{i,p}(t) = \frac{TVQ_o(t) + TVS(t)}{Q_o(t)} \times Q_{i,p}(t) \tag{5-19}$$

可以看出,考虑了槽蓄价值后单位入流获得的传递价值等于出流价值与槽蓄价值之和除以出流量。

入流的总价值为获得的传递价值与在该点水资源提供生产、生活与生态环境用水所体现的价值之和,简单地说是水资源的直

接价值与间接价值的总和构成水资源的总价值,即

$$FVQ_{i,p}(t) = DVQ_{i,p}(t) + TVQ_{i,p}(t)$$

$$= DVQ_{i,p}(t) + (\frac{TVQ_o(t)}{Q_o(t)} + \frac{TVS(t)}{Q_s(t)}) \times Q_{i,p}(t)$$

$$(5\text{-}20)$$

$$FVQ_i(t) = \sum_{p=1}^{m} FVQ_{i,p}(t) \qquad (5\text{-}21)$$

式中:$FVQ_{i,p}(t)$——t 时刻 p 入流的总价值;

$DVQ_{i,p}(t)$——t 时刻 p 入流在该点的直接价值;

$FVQ_i(t)$——t 时刻入流的总价值。

第四节 水资源价值流传递模型计算实例

一、模型计算

本实例选择我国北方某河流的一个区间为研究区。现对该区间的基本情况描述如下:该区间控制流域面积 41 616km²,占全河的 5.5%,平均年径流量 60.8 亿 m³,占全河的 10.5%。该河流区间的基本形状如图 5-3 所示。区间入流除干流河道外,还有支流 1 和支流 2,出流断面只有一个。由此可知,系统入流 $Q_i(t)$ 由三部分来水组成,即干流上游断面下泄水流 $Q_{i,干}(t)$、支流 1 入流 $Q_{i,支1}(t)$ 及支流 2 入流 $Q_{i,支2}(t)$。各入流断面的某时段来水过程分别见表 5-1 中的①、②、③所示。该时段出流过程 $Q_{o,i}$ 如表 5-1 中的⑤所示。作为演示实例,假设一个出流价值过程 $TVQ_o(t)$ 如表 5-1 中的⑥所示,由此推算出的单位出流的价值过程如表 5-1 中的⑦。

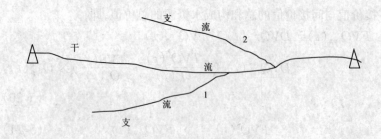

图 5-3　研究区河流基本形状

表 5-1　　　　　　　　　系统水量、价值过程资料

月份	入流过程				出流过程			槽蓄过程		
	干流 (亿 m³)	支流 1 (亿 m³)	支流 2 (亿 m³)	总入 流量 (亿 m³)	断面 流量 (亿 m³)	出流 价值 (亿元)	单位 价值 (元/m³)	槽蓄量 (亿 m³)	槽蓄总 价值 (亿元)	单位 价值 (元/m³)
	①	②	③	④	⑤	⑥	⑦	⑧	⑨	⑩
1	7.7	0.9	0.0	8.7	8.8	15.9	1.80	0.4	0.7	1.82
2	14.0	0.8	0.0	14.8	11.8	21.3	1.80	0.4	0.7	1.83
3	23.6	0.6	0.2	24.4	24.3	43.7	1.80	0.6	1.1	1.83
4	22.6	1.3	0.3	24.1	22.4	44.8	2.00	0.7	1.5	2.04
5	32.9	0.0	0.4	33.4	35.6	71.2	2.00	0.7	1.5	2.04
6	29.3	0.1	0.6	29.9	29.3	61.5	2.10	1.1	2.3	2.12
7	66.4	6.2	1.5	74.1	70.7	148.5	2.10	1.3	2.8	2.12
8	56.3	3.2	1.2	60.6	62.7	131.6	2.10	1.3	2.8	2.12
9	58.3	1.8	0.4	60.5	59.6	125.2	2.10	1.1	2.3	2.12
10	64.3	3.0	0.4	67.7	71.3	142.5	2.00	0.4	0.7	2.02
11	31.4	1.6	0.6	33.6	36.8	73.6	2.00	0.4	0.7	2.02
12	11.6	0.6	0.2	12.3	13.7	24.7	1.80	0.4	0.7	1.82
合计	418.3	20.1	5.7	444.1	447.0	904.5	—	8.7	17.8	—

　　根据模型 I，入流传递价值过程 $TVQ_i(t)$（表 5-2 中的①）与总出流价值过程 $TVQ_o(t)$（表 5-1 中的⑥）一致，系统蓄量价值不

表 5-2　　　　　水资源价值流模型演示实例计算成果

月份	入流传递价值（模型 I）					入流传递价值（模型 II）					入流传递价值（模型 III）				
	总价值(亿元)①	单位价值(元/m³)②	干流价值(亿元)③	支流1价值(亿元)④	支流2价值(亿元)⑤	总价值(亿元)⑥	单位价值(元/m³)⑦	干流价值(亿元)⑧	支流1价值(亿元)⑨	支流2价值(亿元)⑩	总价值(亿元)⑪	单位价值(元/m³)⑫	干流价值(亿元)⑬	支流1价值(亿元)⑭	支流2价值(亿元)⑮
1	15.9	1.8	14.1	1.7	0.1	15.6	1.8	13.9	1.6	0.1	15.8	1.8	14.1	1.7	0.1
2	21.3	1.4	20.1	1.1	0.1	26.6	1.8	25.1	1.4	0.1	27.1	1.8	25.5	1.4	0.1
3	43.7	1.8	42.4	1.1	0.3	43.9	1.8	42.5	1.1	0.3	44.6	1.8	43.2	1.1	0.3
4	44.8	1.9	41.9	2.4	0.5	48.2	2.0	45.1	2.6	0.5	49.1	2.0	46.0	2.6	0.5
5	71.2	2.1	70.3	0.0	0.9	66.7	2.0	65.9	0.0	0.8	68.1	2.0	67.2	0.0	0.8
6	61.5	2.1	60.2	0.1	1.2	62.9	2.1	61.5	0.2	1.2	63.5	2.1	62.1	0.2	1.2
7	148.5	2.0	133.0	12.4	3.1	155.7	2.1	139.5	13.0	3.2	157.2	2.1	140.8	13.1	3.2
8	131.6	2.2	122.1	6.9	2.6	127.3	2.1	118.1	6.7	2.5	128.5	2.1	119.3	6.8	2.5
9	125.2	2.1	120.6	3.7	0.9	127.1	2.1	122.5	3.7	0.9	128.3	2.1	123.6	3.8	0.9
10	142.5	2.1	135.4	6.4	0.8	135.3	2.0	128.6	6.1	0.7	136.7	2.0	129.8	6.1	0.7
11	73.6	2.2	68.8	3.5	1.3	67.1	2.0	62.7	3.2	1.2	67.8	2.0	63.3	3.2	1.2
12	24.7	2.0	23.2	1.2	0.3	22.2	1.8	20.8	1.1	0.3	22.4	1.8	21.1	1.1	0.3
合计	904.5	—	852.1	40.5	11.8	898.7	—	846.3	40.7	11.8	909.1	—	856.1	41.1	11.9

变,即 $TVQ_i(t) = TVQ_o(t)$。各入流断面获得的传递价值依据入流量来确定,即 $TVQ_{i,p}(t) = TVQ_i(t) \times Q_{i,p}(t)/Q_i(t)$,则入流断面处的价值过程 $TVQ_{i,\mp}(t)$、$TVQ_{i,\text{支}1}(t)$、$TVQ_{i,\text{支}2}(t)$ 计算结果分别列于表 5-2 的③、④、⑤中。

模型Ⅱ考虑系统的槽蓄量发生变化,出流价值过程与入流传递价值过程之间存在一个滞时。t 时段入流获得的传递价值成分中,其中有一部分可能来自之前时段蓄存价值传递;t 时段出流的总价值也可能在该时段蓄存下来,在以后时段实现传递。考虑槽蓄价值的变化,模型Ⅱ通过同一时段单位出流价值与该时刻单位入流获得的传递价值相等来计算传递的价值。依据模型Ⅱ计算所得总入流获得的传递价值过程 $TVQ_i(t)$ 如表 5-2 中的⑥所示。各入流断面获得的传递价值依据入流量来确定。入流断面处的价值过程 $TVQ_{i,\mp}(t)$、$TVQ_{i,\text{支}1}(t)$、$TVQ_{i,\text{支}2}(t)$ 计算结果分别列于表 5-2 的⑧、⑨、⑩中。

模型Ⅲ考虑出流价值向槽蓄状态传递,槽蓄水量获得的传递价值与槽蓄水量直接价值构成的槽蓄总价值向入流传递。槽蓄总价值量过程如表 5-1 中的⑨所示。依据模型Ⅲ计算入流的传递价值过程 $TVQ_i(t)$ 如表 5-2 中的⑪所示。各入流断面获得的传递价值依据入流量来确定。各入流断面处的价值过程 $TVQ_{i,\mp}(t)$、$TVQ_{i,\text{支}1}(t)$、$TVQ_{i,\text{支}2}(t)$ 计算结果分别列于表 5-2 的⑬、⑭、⑮中。

二、模型计算结果比较分析

通过比较分析建立在不同条件下的水资源价值传递模型及运用各种模型进行实例计算结果,可以得出:

模型Ⅰ由于忽略了入流过程与出流过程之间存在槽蓄的过程,出流价值完全传递给入流,因此,水资源价值传递中入流与出流的价值是处于平衡状态,各时段入流的间接价值等于出流价值,见表5-1中的⑥与表5-2中的①。

　　模型Ⅱ初步考虑了入流过程与出流过程之间发生槽蓄过程以及槽蓄量变化的情况,认为水流价值传递存在滞时现象,是对模型Ⅰ的改进。但同时忽略了水流停滞时所产生的价值,那么,由此确定的水流价值由出流向入流方向传递时价值发生不平衡现象,见表5-1中的⑥与表5-2中的⑥。但是,单位入流传递价值与单位出流价值相等,见表5-1中的⑦与表5-2中的⑦。

　　基于水循环规律及价值传递的连续性特征,模型Ⅰ与模型Ⅱ都属于较为理想化的价值传递模型。在初步得到改进的模型Ⅱ基础上,模型Ⅲ则比较充分地考虑了现实状态中水资源及其价值的客观规律,既考虑到水流过程中发生滞留,即槽蓄现象,同时也充分考虑了水流滞蓄时所产生的价值。由于考虑了槽蓄量所产生的直接价值,因此,结果单位入流传递价值大致与单位出流价值相等,见表5-1中的⑦与表5-2中的⑫。与模型Ⅰ与模型Ⅱ相比,模型Ⅲ是一种更加接近实际情况的价值传递模型。

小　结

　　有效、公正和可持续地管理水资源,对水的价值进行正确评价是关键性的问题。目前,评估水资源价值的努力往往缺乏将水资源价值与天然水资源联系起来,从而导致在分析上下游水资源的关联性时出现困难。为了在评估水资源价值时更好地说明水循环的本质,Chapagain和Hoekstra于2000年提出了"价值流概念",极大地推进了水资源价值研究,但是定量的水资源价值与水文循环之间规律探讨尚不完善。

　　本章基于Chapagain和Hoekstra的"价值流概念",首先综合分析了水资源价值流的特性,认为水资源价值流具有以下特性:

(1)逆向传递特性。空间上,水流价值的传递是由下游向上游,恰与水流流动的方向相反。

(2)空间变化特性。受水资源时空变化和社会经济发展的不均匀性影响,水资源价值流随空间变化而变化。

(3)连续传递特性。水资源流动的连续性注定水资源价值传递的连续性。

(4)受国家宏观政策影响大。水资源公共物品性质使得水资源价值不可能完全通过市场的价值杠杆来体现或确定,往往需要国家采取相关政策对其进行宏观调控。

因此,水流的价值不仅与水流所处地点产生的价值有关,而且与水流循环路径、水流在循环中所处的位置和相关国家宏观政策等因素密切联系。

依据水资源价值流特性,结合水文循环原理对水资源价值的传递与运移规律进行了探讨。由于水流价值伴随水量出入变化发生传递,因此在不同的水文过程下,水流价值传递遵循不同的规律。本章具体探讨了三种前提条件下水流价值传递规律,并相继建立了三个水资源价值传递数学模型,定量分析水资源价值传递规律:

(1)模型Ⅰ完全忽略水流的滞时和槽蓄变化,因此,水资源价值传递中入流与出流的价值是处于平衡状态,入流的间接价值等于出流价值。

(2)模型Ⅱ考虑水流的滞时,即系统槽蓄量的变化,但忽略槽蓄量产生价值。因此,水流价值由出流向入流方向传递时价值发生不平衡现象。但是,单位入流传递价值与单位出流价值相等。

(3)模型Ⅲ既考虑水流的滞时也考虑水流的槽蓄价值。系统单位入流传递价值与水流循环最接近的槽蓄过程的单位蓄量价值相等。

这三个数学模型之间是由浅入深、循序渐进、逐步改进的关系,每个模型都是在前一个模型基础上的改进。模型Ⅰ与模型Ⅱ都属于理想的价值传递模型,而模型Ⅲ则比较充分地考虑了现实状态中水资源及其价值的客观规律,是一种更加接近实际情况的价值传递模型。水资源价值流传递的模型反映了水资源价值与水文循环之间的内在联系。同时文中以北方某河段为例进行了模型实例研究,对三个模型的计算结果进行了分析比较,表明了模型的可操作性。

开展水资源价值流变化规律研究对水资源补偿研究具有如下意义:①能藉以较全面地评价水资源的价值,为实现水资源价值合理补偿提供依据;②更充分地认识水资源价值的变化规律,以及水资源价值与水文循环的内在联系,为保障水资源价值耗费的等量补偿提供一定的量化依据等。

第六章　水资源恢复的价值补偿

采取有效的补偿手段和政策,是水资源恢复经济补偿机制的重心,这种经济补偿手段与一般的经济手段不同。一般的经济手段注重强调经济利益的最大化,较少考虑环境效果,而水资源恢复经济补偿手段目的在于以"经济"的手段获得良好的水资源保护与恢复效果。自本章起作者在讨论已有的成功经验的基础上,探索建立旨在保护与恢复水资源的各类经济补偿机制。针对国家的实际情况对进一步完善水资源价值的补偿(水资源有偿使用制度)、建立水资源环境成本补偿制度、竞争性用水损失补偿制度以及水源涵养与保护投入补偿制度等水资源开发利用经济补偿机制进行研究。

水资源价值补偿是指补偿水资源价值的损耗与保护投入费用,本章主要探讨水资源价值的补偿机制,提出完善水资源有偿使用制度的建议与方法,促进水资源合理开发利用。

第一节　水资源价值补偿的必要性

正如第四章所述,水资源是既有价值,又有价格的。水资源的价值是水资源与人类之间关系的表现。人类在利用水资源时对水的数量和质量产生一定的影响,造成水的数量和质量在一定程度上的折损,亦即水资源价值的折损。合理的水资源价值补偿是协调人类与水资源关系的要求。

一、水资源价值补偿不足将影响水资源持续利用

我国经济生活中经常出现诸如经济过热、片面追求发展速度、

盲目扩大生产规模、资源过度开采、生态环境恶化等现象。究其原因，价值补偿不足是造成这些现象的主要因素之一。资源价值补偿不足是指把资源这一重要的生产要素排斥于社会再生产过程中的价值运动之外，极端而言是对资源不计价、不核算，在观念上认为资源是无限的，没有必要有偿使用。甚至认为资源是大自然的恩赐，不具有价值。正是基于这种错误的认识，才产生了生产过程中的资源补偿不足问题。

在计划经济条件下，人类长期视自然资源无价、廉价，常常进行无偿开采使用，甚至是以野蛮的方式进行掠夺式地开采。不仅造成自然资源的极大浪费，也严重地破坏了生态平衡，导致了环境恶化。从经济学的角度上讲，这些问题的存在和发展，不但导致了资源性资产的巨额财富流失，而且使资源再生、寻找新的替代资源和进行生态环境的保护、建设所需要的大量资金投入也得不到保障。这种难以估量的价值损失，其严重后果已逐渐显露出来，对经济可持续发展产生极为不利的影响。而且，长期忽视建立资源耗费和环境保护的合理价值补偿机制，导致很难理顺各种经济关系，经济关系紊乱的状况也难以根除。

水资源价值补偿不足是造成水资源浪费严重的原因之一。水资源长期无偿或低价使用，造成用水的大量浪费，比如，我国目前农业用水水价严重偏低，农业水费支出只占生产成本的 3%～5%，再加之用水管理体制不尽合理，未能提高农民节水的意识，大多数地区依然采用大水漫灌的用水形式，水资源被白白浪费。另一方面过度地开发利用水资源，使得水资源的储量日益减少。水资源价值的耗费得不到补偿，使自然界水资源的价值大量流失。如此下去，终有一天自然界有限水资源会被人类不合理的开发利用消耗殆尽，那时影响的将不仅是生态环境，没有了水，整个社会也将停止前进的步伐。

二、水资源价值补偿是实现社会可持续发展的前提

要保护资源的可持续利用和生态环境的平衡,解决好人与自然的关系,除了加强对生态环境的保护外,就是要对资源进行价值补偿。树立资源价值的实体地位,保证国有资源价值收入全部纳入到国家财政收入的体系当中去,让国民经济走上良性运行的轨道。价值补偿是社会再生产过程中客观存在的经济范畴,是经济持续运行中的价值如何通过商品的出售以货币形式收回,用以补偿生产中预付的不变成本价值并获得剩余价值。马克思再生产理论认为:社会再生产过程中的耗费,不仅需要物质上的相应补偿,更需要得到价值补偿,以保证社会产品价值以合理比例关系组成。

水资源无价或低价使用是引起用水浪费的主要原因,也是国有资产价值流失的表现形式之一。对水资源进行价值补偿是解决我国现阶段水资源短缺和水污染问题的重要手段,它真正体现了"资源有偿使用"原则,有利于促进各用水部门科学地确定水资源的消耗水平,避免国有资产价值的无效流失。有效解决水资源价值补偿问题是实现资源、环境、社会可持续发展的前提。

第二节　水资源价值补偿与水资源恢复的关系

水资源价值补偿与水资源恢复之间有密不可分的关系,这种关系有直接的,也有间接的。本章考虑水资源价值补偿机制主要包括建立取水许可制度、水资源费(税)征收使用制度等方面。明确征收的水资源费(税)用于补偿水资源价值耗费以及管理保护水资源投入。本章分析水资源价值补偿对于进行水资源恢复的作用从以下三个方面考虑。

(1)水资源价值补偿促进水资源的适度开发。水资源价值补偿体现了水资源的有偿使用,在世界多数国家得到了国家法律的

认可。水资源有偿使用的第一步是要建立完善的取水许可证制度。水资源开发者,即取水者,凭借取得的取水许可证来获得水资源的开发使用权。一项完善的取水许可证制度能促进有限水资源的合理配置,指导取水者合理开发利用水资源,使水资源能够得到适度开发,从而避免过度开发引起水资源的不断破坏,影响水资源的恢复。因此,建立取水许可制度,逐步实现水资源价值补偿对水资源的恢复具有积极的作用。

(2)水资源价值补偿刺激降低水资源利用量。取水者可以通过缴纳水资源费(税)取得水资源开发权,亦即获得取水许可权。而作为水资源的消费者同样要缴纳水资源费(税)获得水资源使用权。用水者或将水资源用于生产(如企业),或将最终消费水资源(如个人或家庭)。无论是企业还是个人,在如今市场经济的社会中,追求利润最大化、成本最小化是其基本的目标。通过征收水资源费(税)实现水资源价值补偿能激励用水者节约用水、减少浪费,达到用水者降低生产或消费成本的目的。对各类用水行为征收水资源费(税),在目前社会经济发展情况下能较之无偿使用水资源阶段大大降低水资源的利用量。在社会经济不断发展,水资源需求量日益增长的今天,减少水资源利用量无疑也是水资源的保护行为,利于水资源的恢复。因此,水资源价值补偿通过刺激降低水资源利用量来促进水资源恢复。

(3)水资源价值补偿为水资源保护提供资金保障。长期以来,水资源价值耗费得不到合理补偿,引起水资源价值的流失,而且缺乏保护水资源的资金投入,更加不利于水资源的恢复。根据水资源价值补偿的目的,征收的水资源价值补偿费应当"取之于水,用之于水",补偿水资源价值的损耗,以及水资源管理和保护等耗费,为进一步保护水资源提供资金保障。因此,水资源价值补偿通过为水资源保护提供资金保障来促进水资源恢复的持续进行。

综合所述,水资源价值补偿是通过建立取水许可证制度、水资源价值补偿费征收制度,将征收的水资源价值补偿费用于补偿水资源价值耗费以及管理保护水资源投入等,使水资源被合理开发、水资源利用量减少以及为水资源保护提供资金保障,从而可促进水资源的恢复。水资源价值补偿与水资源恢复的关系可以用图 6-1 表示。

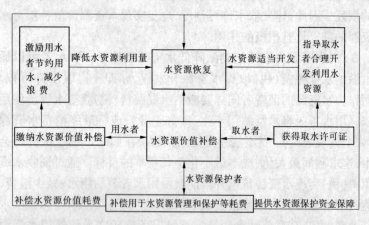

图 6-1　水资源价值补偿与水资源恢复的关系

第三节　水资源恢复价值补偿机制

如上所述,本书提出的水资源恢复价值补偿机制主要包括建立取水许可制度、水资源价值补偿费征收与使用制度等。现阶段关于水资源恢复价值补偿的几个方面,我国都已有相关法律与政策规定,也开展了一些制度的实施,但是远未达到水资源价值损耗的足额补偿,价值补偿不足是目前普遍存在的现象。本节立足于水资源价值的合理补偿,提出应进一步建立完善的取水许可制度,科学确定水资源费征收标准以及合理征收与使用水资源费制度,最后提出尝试课征水资源税以保障水资源价值耗费的合理补偿的想法。

一、建立完善取水许可制度

建立和完善水资源有偿使用制度首先应当明晰水资源的使用权,加强完善取水许可制度。我国国务院《取水许可制度实施办法》自 1993 年 9 月 1 日颁布并实施以来,各流域机构在流域各级水行政主管部门的配合支持下,通过开展取水登记、发放取水许可证、取水许可证年审等工作,使取水许可管理开始步入轨道。但是,由于目前多数流域水资源严重缺乏,水资源供求矛盾日趋尖锐,仅有登记、发证远不能适应全流域的社会经济发展对合理开发利用水资源的要求,取水许可管理制度亟待向深层次发展。结合流域水资源现状,正确实施许可制度,把有限的水资源管理好、保护好、利用好,对水资源的恢复将具有积极的促进作用。对此本书提出以下几点建议。

(一)完善取水许可管理规定,制定配套措施

主要指从以下几个方面进行完善:

(1)授予各级水行政管理部门管理职权。在取水许可管理法规中,对违法违章取水行为设定经济制裁条款,并由相应水行政管理部门执行。

(2)规定水资源有效利用率下限,对于低于下限的、浪费水资源的单位或个人,责令其限期改正或给予经济制裁。也就是说各级水行政管理部门要有直接管理取水人乃至用水人水资源使用情况的权限。

(3)细化取水许可证准取水量和准取时间,建立取水总量控制与取水时间控制相结合的管理体系,以增强取水许可管理的可操作性。强化水量调度的执法力度,同时使取水许可与日常水量调度不再分割。

以此,进一步指导并监督取水者合理取用水资源,保证水资源

的适当开发,可为水资源的恢复提供有益的保障。

(二)建立取水权益侵害补偿制度

水资源是全流域的共享资源,上下游取水人在取水权益上应当享有平等的地位,对于抢水、争水、多取水,造成他人取水权益受损害的,应当对取水权益受害人给予经济补偿。目前,比较突出的问题是流域上游地区超量取水、浪费水资源,造成下游地区在应当取水时河中没有水,下游地区的用水权利受到了损害。这些超量取水受益和浪费水资源的取用水者,应当给由此造成的其他取水人的损失进行经济补偿。这一点应当建立有效的制度,用于协调各用水者之间的利益关系,保障水资源合理高效的开发利用,以促进水资源的恢复。

(三)加强执法队伍建设,提高执法效能

各级水行政管理部门应当充实水资源管理人员,提高执法队伍的执法水平,把水资源管理作为一项重要职责来履行。建立健全取水许可管理工作制度,规范执法行为,加强执法监督,严肃执法纪律,对于出现的执法过错要追究其责任,从而确保取水许可制度的正确实施,把有限的水资源管理好、保护好、利用好,监督并保障水资源恢复工作的开展。

二、科学确定水资源费征收标准

制定科学合理的水资源费标准是进行水资源价值足额补偿的基础与依据。水资源费标准过低不利于水资源价值的充分补偿,依然造成水资源价值的流失、用水的浪费,对水资源恢复也将起到阻碍作用;水资源费标准过高,供水价格高于该条件下水资源本身的价值,取用水者的利益受到损害,不符合市场经济规律,不利于水资源发挥其应有的效益。因此,科学地确定水资源费的标准是十分重要的。

(一)水资源费标准确定原则

合理水资源费标准可按以下原则确定:

1.政策法规依据

水资源费标准的制定应以国家《宪法》、《水法》以及相应的政策法规等为依据。

2.水资源条件

水资源条件是影响水资源费征收标准的自然因素,它包括三个方面的内容:水量、水质、时空分布。区域水资源条件的差异反映水资源相对地租的差别。

从水量条件考虑,水源条件好的区域,征收的水资源费应相对较高,而水资源开发利用条件较差的区域,征收的水资源费应较低,这样以平衡水资源开发利用者的利益,促进对劣等水资源的开发利用。

从水质条件出发,水质好的水资源应征收较高的水资源费,水质差的水资源应征收较低的水资源费。同时,为促进对处理后的污水回用,国家应制定对再生水的水资源费的优惠和豁免等政策。

从时空分布出发,水资源时空分布较均匀的应征收较高的水资源费,反之,应征收较低的水资源费。

3.经济发展水平

区域经济发展水平是影响水资源费征收标准的社会经济因素。一般来讲,经济发展水平较高的地区,水资源费应该比经济发展水平低的地区高。这也体现了单位水资源所产生的经济效益在经济发展水平高的地区要比经济发展水平低的地区大。而且,经济发展水平高的地区的经济效益和居民的生活水平都要比发展水平低的地区高,因此对水资源费的承受能力较高,这就为在经济发展水平高的地区制定较高的水资源费提供了相应的依据。

4.水资源类别

水资源费标准按水源类型不同而变化,地下水资源是较地表水资源更加稀缺的水资源,因此,地下水资源费标准通常比地表水资源费标准高。对于地热水、矿泉水资源的征收标准则更高。

5. 用水行业

目前河道外用水的用户主要为工业、农业和生活用水,河道内用水包括航运、旅游、水产养殖、水力发电等。行业用水特点和用水性质的不同也将影响水资源费的制定。由于我国农业对国民经济发展的重要性和相对较低的承受能力,应制定较低的水资源费。而工业和生活用水的水资源费可以制定在相对较高的水平上,工业用水通常比生活用水的征收标准高。

(二)水资源价值的测算方法

天然水资源价值是科学制定水资源费标准的基础与依据,是水资源地租的资本化。根据地租论,设 R_0 为基本地租或租金,α 代表水资源的丰度和开发利用条件,即流域差别、水质差别和时间差别等有关的等级系数,则水资源地租或租金即为 $R = \alpha R_0$,设 i 为平均利息年,则水资源本身的价值即可表示为:$P = R/i = \alpha R_0/i$。上述计算水资源地租的方法虽然理论上可行,但实际计算非常困难。如何确定水资源价值,国内外都正在研究之中,目前有关自然资源价值的定价主要有以下几种方法。

1. 市场定价法

此法是世界资源研究所高级经济学家 R·佩托博士提出的。它是用自然资源产品的市场价格 P_s 减去自然资源产品的单位成本(包括正常利润)C_s,而得自然资源的价值 P,其表达式为:

$$P = P_s - C_s \qquad (6\text{-}1)$$

这个公式适用于市场发育完全的条件,否则会显得无能为力。在我国水资源市场供水价格低于成本价格的现象依然或部分存在的今天,套用这个公式,会得出不合理的负值价格。

2. 影子价格法

影子价格法是通过先计算自然资源对生产或劳务所带来收益

的边际贡献来确定自然资源的影子价格 P^*，然后再参照影子价格将其乘以某个价格系数 α 来确定自然资源的实际价格 P。其表达式为

$$P = P^* \text{ 或 } P = \alpha \cdot P^*$$

$$P^* = \frac{\mathrm{d}Z}{\mathrm{d}Q} \tag{6-2}$$

式中：Z——生产或劳务所带来的收益；

　　Q——自然资源的消耗量。

由于 Z 的确定比较困难，因此此法的运用也受到限制。

3. 机会成本法

机会成本法是将失去的自然资源使用机会所创造的最大收益作为该资源被选用的机会成本。它是以选择资源最优开发利用方案为基础的且能以市场价格计量的一种评估方法。

4. 补偿价格法

补偿价格法是把人工投入来增强自然资源再生、恢复和更新能力的耗费作为"补偿费用"来确定自然资源价值的方法。水资源是可再生的，它依靠生态持续性法则和水循环规律在一定周期内恢复和更新，然而它又是流动的、可耗竭的、或可"付之东流"的资源。要想增强其有效资源量，只有采用人工措施拦蓄和控制，这时的人工耗费就是"补偿费用"。

5. 替代价格法

此法亦称替代措施法，是指当水资源供需矛盾日趋尖锐，严重制约经济社会发展时，采取诸如节水、污水处理回用、海水淡化、改进灌溉方法等措施来减少原水利用量，此时可用替代措施的边际费用作为水资源价值的间接估算值。

在以上几种水资源价值核算方法中，有些因适用条件限制，在使用时会遇到困难，如市场定价法与影子价格法，而机会成本法、补偿价格法以及替代价格法则在适当情况下可以实现对水资源价

值的粗略计算。

除了上述几种目前比较常见的水资源价值核算方法,本书提出另外两种用于水资源价值核算的方法,介绍如下:

1. 效益价值法

即在第四章对水资源直接价值进行评估时采用的方法。它通过评估水资源为人类提供经济、生态等多种效益的潜在价值来确定水资源的价值,因此称之为效益价值法。水资源提供的这些价值有的需要人类干预,需要提供一定的投入来获得,如经济使用价值,而有些价值则是水资源天生所具有的,如生态功能价值。通过确定水资源对人类的边际效益(MB),扣除人类利用水资源投入的边际成本(MC),从而获得水资源的效益价值,以此价值作为天然水资源价值的估算值:

$$P = MB - MC \tag{6-3}$$

有关水资源的边际效益与边际成本的计算在第四章有详细阐述,这里不再重复。但采用这种方法计算的天然水资源价值,由于水资源选择价值的边际效益、馈赠价值的边际效益确定存在一定困难,而只考虑到经济使用价值及生态功能价值的边际效益,计算结果会偏低于实际天然水资源的价值。

2. 支付意愿法

由于供水价格没有统一的市场价格可以遵循,本书采用世行与亚行推荐的经验法来间接确定水资源的价格,即采用用水者的支付意愿来表示供水市场价格,以此近似估算水资源价格的估算值。具体思路是将消费者支付意愿或愿付价格认为是供水的价格,设其为 P。然后计算供水系统的边际费用 C,则探明水资源价格 P_T 的间接估算值即为:

$$P_T = P - C \tag{6-4}$$

各项参数的确定方法如下:

(1)消费者的支付意愿或愿付价格 P_j。根据国际经验,对工业用户,通常以边际销售收入的 2.5%～3.5%作为消费者支付意愿。对居民的生活用水,一般以家庭收入的 2%左右作为生活用水的支付意愿。其一般式可表示为:

$$P_j = \frac{B_j}{W_j} \cdot x_j \qquad (6-5)$$

式中:B_j——第 j 用水行业的销售收入或年人均收入;

　　　W_j——第 j 用水行业的用水量或年人均用水量;

　　　x_j——第 j 用水行业的支付意愿系数,工业用户一般取

　　　　　2.5%～3.5%,生活用水一般取 1%～2%。

(2)供水系统的边际费用 C。这里所指的供水系统应包括以下几部分:水利供水工程系统、输水工程系统、城市自来水净配水系统和排水系统(不包括雨水排水部分)。

设这些系统的总投资量为 K,年运行费为 U,流动资金占用量为 X,供水系统年总供水量为 W,社会折现率或资金的机会成本为 i,供水系统的经济寿命为 n,则边际费用可表示为:

$$C = [K \cdot \frac{(1+i)^n \cdot i}{(1+i)^n - 1} + U + X \cdot i]/W \qquad (6-6)$$

n 一般可采用 30 年,对于社会折现率 i,国家规定全国各行业、各地区都统一采用 12%,对属于或兼有社会公益性质的项目,《水利建设项目经济评价规范》规定可采用一个略低的社会折现率进行计算,如必要时可按 7%的社会折现率进行计算。如果投资有一个过程,则 K 需考虑资金的时间价值而计算其终值。当 n 足够大时,上式可简化为:

$$C = (K \cdot i + U + X \cdot i)/W = [(K + X)i + U]/W \qquad (6-7)$$

(3)探明水资源价格 P_{tj}。有了消费者支付意愿或愿付价格 P_j 和水系统的边际费用 C,则探明水资源价格即可由下式求出:

$$P_{tj} = P_j - C \qquad (6-8)$$

　　这个 P_{ij} 中不仅包括天然水资源价格,而且包括水资源前期基础工作费用,所以我们称 P_{ij} 为探明水资源价格,单位为元 $/\text{m}^3$。

　　以此测算结果为基础,再考虑地区经济发展、水资源稀缺程度以及用水者的承受能力等因素来综合确定水资源费的征收标准。在经济比较发达的用水地区采用这种方法能起到有效的结果,本书在后面的价值补偿实例研究中即采用该方法来确定水资源的价值。

三、合理征收水资源费

　　以天然水资源价值为基础,综合考虑地区水资源的条件,结合相应的水资源费标准制定原则,科学确定地区水资源费征收标准,同时建立合理的水资源费征收制度。

(一)水资源费征收法律基础

　　我国水资源属国家所有,并对从地下或江河、湖泊直接取水的单位与个人征收水资源费。有关法律法规如下。

　　(1)宪法第一章第九条明确规定,水流等自然资源属于国家所有,禁止任何组织或者个人用任何手段侵占或者破坏自然资源。

　　(2)2002 年 8 月《中华人民共和国水法》(以下简称新《水法》)通过全国人大常委会修订,新《水法》第四十八条规定:"直接从江河、湖泊或者地下取用水资源的单位和个人,应当按照国家取水许可制度和水资源有偿使用制度的规定,向水行政主管部门或者流域管理机构申请领取取水许可证,并缴纳水资源费,取得取水权……"。再次在国家法律中明确规定征收水资源费。

　　(3)1997 年 10 月 28 日国务院以国发[1997]35 号文件印发了《水利产业政策》,进一步明确规定"国家实行水资源有偿使用制度,对直接从地下或江河、湖泊取水的单位依法征收水资源费。"

(二)水资源费征收机制

1.水资源费征收主体

　　我国法律制度规定水资源费应当由具有国家水行政管理职能

的机构来征收。大部分省(区)规定:县级以上水行政主管部门在本行政区域内按照水资源分级管理权限,负责水资源费的征收、管理。同时规定,除了由县级以上各级水行政主管部门负责征收外,对于城市规划区范围内的地下水资源费,可委托城建部门征收。

2.水资源费征收对象

水资源管理征收对象通常是一切取用水资源用于生产生活的单位或个人。我国各省(区)一般都有规定:凡在本省(区)行政区域内直接从江河、湖泊或地下取水的单位和个人,均应向水行政主管部门提出取水申请,依法取得水的使用权,并按规定缴纳水资源费。

针对利用水资源的行为,水资源费可以统一征收,或针对不同的行为分别征收。统一征收可定为水资源费,分开征收费种可分为从水体直接取水的取水水费、占用河道水域的河道占用费、水面利用费、改变河流水流条件费等。征收水资源费的目的是为了减轻或避免对水资源造成更大的危害,有利于水资源的恢复。

(三)水资源费管理使用机制

征收的水资源费应完全纳入国家财政预算内管理,采用专户存储的方式,并且免交能源交通基金和预算调节基金。作为水资源专项基金,专款专用,结余基金可以连年结转使用。同时,还必须加强对水资源费的管理使用,健全各级财务制度,严格收支手续,厉行节约,切实防止滥用和浪费。

鉴于水资源费的性质和征收目的,征收的水资源费应作为财政性资金,除了国家必要的统筹部分外,必须保证用于水资源的开发利用、管理和保护及综合整治等公益性工程,即应坚持"取之于水,用之于水"的原则。按现在存在中央财政和地方财政这样的财政制度,应确定中央和地方合理的支配比例。

对水资源实行有偿使用,征收相应的水资源费是政府实现水资源所有权的经济表现形式,是完成水资源保护、管理责任,满足政府在勘测、调查评价、保护、管理水资源等公共事务方面的需要，是调节水资源供求矛盾的有效手段。征收的目的在于合理开发利用水资源，为保护水资源和恢复受损水资源系统筹措相应的资金。

四、尝试课征水资源税

当今世界许多国家为了保护资源，提高资源利用率，通常将矿产资源、土地资源、植物资源、草原资源、森林资源、海洋资源及水资源等多种资源纳入资源税的纳税范围。我国目前专门针对环境资源的税收有资源税、土地增值税、耕地占用税、城镇土地使用税等。资源税则只对六类矿产品及盐征收，目的主要是调节这些资源因开发条件不同而产生的级差收入，征税范围过于狭窄、征收力度弱、目标单纯。借鉴国际经验，我国应积极推进课征水资源税的进程。通过税收手段来激励水资源的合理开发利用，促进水资源保护与恢复，是一个积极的思路。

开征水资源税的理论立据要从资源税的征收原理谈起。

资源税的征收原理，主要是出于受益原则、公平原则和效率原则，对于水资源也同样遵循这三条原则。

（1）水资源税是水资源国家所有的经济体现（受益原则）。在水资源开发利用中，由于水资源固有的特性，水资源产权构成的所有权、使用权、收益权和转让权出现分离，从资源的开发利用角度来讲，开发利用国家所有水资源的行为，是从国家获得水资源的使用权和收益权。由于其获得了开发利用国家所有的水资源的使用权并从开发利用活动中收益，资源的开发利用者应向资源的所有者缴纳资源地租，因此水资源税是国家所有的水资源在使用权和收益权转让过程中的经济体现。

（2）水资源税是调节稀缺性和质量的必要手段（公平原则）。由于水资源的多来源性，相同的用水可以由不同的水源供给，如地下水和地表水，同时在供水中，还存在水源地水质的不同，这样就可能导致水资源开发利用者之间的开发利用成本的差别,为了平衡市场的价格和产品,保护不同水源和水质开发者及用户的利益,国家有必要对水资源开发利用中存在的这种差别进行调节,以协调各方面的利益。这样,水资源税就成为国家调节水资源开发利用的必要手段。

由于水资源时空分布的不同,水资源在不同的地区之间存在差异。如对于我国来讲,南方地区的水资源量相对比较丰富,而北方地区的水资源较稀缺,特别是在我国的黄河流域,水资源已经成为该区域经济和社会可持续发展的主要制约因素。同时,在时间上,水资源还有洪水期和枯水期、丰水年和枯水年之分。对于利用来讲,枯水期和枯水年水资源的稀缺性尤为突出。因此,若国家不对水资源存在的这种天然的差异进行调节,将影响水资源开发利用者之间的公平性。从公平性角度出发,水资源税是调节水资源数量和质量差异的一个重要手段,也是促进市场公平竞争的手段。

(3)水资源税是调节资源配置效率的必要手段(效率原则)。从经济学资源配置效率分析,稀缺资源应由效率高的企业开采,对资源开采中出现的掠夺和浪费行为,国家除法律和行政手段之外,用税收的手段加以限制也是必要的。因此,除了保证人的基本生活需求外,水资源应配置在利用效率最高的用途,这样才能促进资源的高效配置。

我国的水资源时空分布不均,水资源的条件各地存在明显的差别,但在我国的广大地区,尽管水资源比较短缺,但在水资源的开发利用过程中存在大量的浪费和资源的低效配置,为了抑制水资源的这种浪费和低效配置,促进水资源的高效利用,资源管理者有必要对水资源的开发利用运用经济手段加以调控。因此,水资源税作为有效的经济手段,也是提高资源配置效率的必要手段。

对于区域的生产力布局来讲,若区域的水资源条件较差,为了促进水资源的高效配置,促进区域经济的发展,征收高的水资源税将有可能限制高需水或耗水工业企业或行业的发展,使之迁移到水资源比较丰富的地区。同样,对于农业的种植结构也是如此,在我国的北方地区,若对农业灌溉用水征收适宜的水资源税,将有可能限制高耗水作物,如水稻等的发展,也可以促进节水措施在生产中的推广和应用。

开征水资源税一方面体现了国家对水资源的所有权,可以实现经济杠杆的调节作用,增强人们的节水意识,减少水资源的浪费;另一方面也将对水资源的管理提供经济来源,达到兴利除害、合理利用水资源的目的。开征水资源税的两方面作用都对促进水资源恢复具有积极意义。

本书考虑水资源税的课征可以按以下工作步骤进行:先出台"国务院水资源费统一征收暂行条例",再修改《水法》,然后出台水资源税征收制度,同时使水资源税成为累进税的资源税种。在必要情况下,由国家水行政主管部门报请国务院批准,选择试点地区开展水资源费改税工作,以提高水资源有偿使用的收费率,增强利用经济杠杆调节的力度。税与费尽管在征收主体、解缴环节、收费原则、使用管理等方面的规定大不相同,但作为一种政策措施和经济杠杆,对于促进计划用水、节约用水、水资源优化配置、遏制用水浪费、缓解水资源供需矛盾、促进水资源恢复等方面的作用是一致的。

建立水资源相关法律体系,包括水资源税的征收法规必须与国际接轨,它是我国加入世贸组织以后应当逐步建立的法规。只有这样才能限制高耗水、高污染等产业大量拥入我国,避免使我国在全球经济一体化的进程中成为廉价水资源的供应地。

小　结

首先,本章从价值补偿不足对资源开发利用的影响,指出了水资源价值补偿的必要性。即：①水资源价值补偿不足影响水资源持续利用；②水资源价值补偿是实现社会可持续发展的前提。

其次，本章分析了水资源价值补偿与水资源恢复的内在关系，明确了水资源价值补偿对水资源恢复的促进作用。通过分析，作者认为水资源价值补偿主要从这几方面与水资源恢复相联系：①水资源价值补偿机制通过建立取水许可制度，指导取水者适度开发水资源，以促进水资源的恢复；②水资源价值补偿采取水资源费(税)征收制度，刺激用水者降低水资源利用量，起到恢复水资源的目的；③水资源价值补偿通过补偿水资源价值耗费以及为水资源保护提供资金保障，同时也保障了水资源恢复的持续进行。

第三，针对目前水资源价值补偿不足问题，本章在已有水资源价值补偿政策制度基础上，立足水资源价值的合理补偿，提出了建立完善取水许可制度、科学确定水资源费征收标准以及合理征收与使用水资源费的方法与途径。作者最后提出了尝试课征水资源税以保障水资源价值耗费合理补偿的建议。

本章提出的改革与完善水资源有偿使用制度的建议与实现步骤、科学确定水资源费征收标准的方法、合理征收使用水资源费的建议等为健全水资源价值补偿机制提供了有益的参考。同时，提出的课征水资源税的建议与做法，也可供进一步完善我国水资源有偿使用制度时参考。水资源有偿使用制度的完善将利于规范用水行为，刺激减少浪费、降低无效用水，实现水资源合理开发利用，促进水资源恢复。因此，作者认为，水资源价值补偿是一项有利于水资源恢复的间接经济措施。

第七章　竞争性用水的经济补偿

具有准公共物品特性的水资源,由于其使用不具有排他性,因此,在水资源短缺的情况下,各用水地区或者用水部门之间势必发生竞争性用水局面,从而造成用水地区、用水部门之间利益发生冲突。竞争性用水局面得不到有效的解决是不利于区域水资源的合理利用的。利益双方,甚至多方为自身利益争夺水资源的同时势必会对水资源造成破坏,使本来就水资源短缺的状况,因这种破坏而雪上加霜,更加不利于水资源的恢复。合理的竞争性用水经济补偿能协调用水各方之间的利益关系,促进水资源的合理利用,补偿费的缴纳能激励用水者减少对水资源的利用量,留给自然更多的可循环水资源量,为水资源恢复创造有利条件。

第一节　竞争性用水的概念

用水竞争性是指由于水量不足、水质达不到用水标准或工程调蓄能力有限等原因所导致的在用水目的上、时间上和地域上的冲突。在水资源紧缺的情况下,各用水地区或者用水部门、企业之间的用水竞争性将日益突出。在这种水资源紧缺情况下的用水户之间的用水关系本书称之为竞争性用水。竞争性用水在用水目的上、时间上和地域上的冲突主要体现为:

(1)用水竞争性存在用水目的上的竞争性。如水库防洪与兴利之间的矛盾,用水的行业之间、部门之间、企业之间的用水矛盾。一般而言,当有限的水资源已成为区域可持续发展的主要制约因素时,该区域用水的行业之间、部门之间、企业之间会出现争水现象。例如,如果满足迅速增长的城市生活与工业用水,则农业灌溉势必会受到影响。

(2)用水竞争性存在时间上的冲突。如区域作物生长需水期的灌溉用水与此时的城市用水之间的矛盾。对于城市生活与工业供水等,一般需要在各时段有稳定的可供水量,而灌溉用水则有较强的季节性,从而产生了时间上年内均匀用水与灌溉期集中用水的冲突。

(3)用水竞争性存在地域上的冲突。如在上下游、左右岸可用水量及水质上。通常情况是上游多用水,下游用水量不足,上游水质条件好而下游河水矿化度高且易受到废污水的污染。对于一些特殊河流,为保证下游用水安全,可以通过有关宏观决策,缩减上游用水,而为下游提供一定数量与质量的水资源。

正是由于用水目的上、时间上和地域上客观存在的用水竞争性,人们对于解决用水竞争性问题提出了各种各样的协调、解决方案,其间涉及水量的合理分配、水权的市场转让以及竞争性用水的外部成本补偿等领域。

通常竞争性用水行为有无序与有序之分。所谓有序竞争性用水行为是指流域通过统一规划与配置,取用水者在取用水时间、用水目的以及取用水数量等方面有合理的安排的用水行为,简单地讲,是水资源短缺的流域之间、地区之间、上下游之间以及取水部门之间统筹用水的行为。现代水资源管理要求克服无序竞争性用水行为,做到有限水资源的有序利用。无序竞争性用水行为是指流域不同用水部门或用水地区之间在用水时间、用水目的以及取用水量等方面没有统一合理的规划,用水者在任意时段,取用任意数量的水资源用于其个人利益,而忽视对其他用水者的影响的一种用水行为。无序竞争性用水行为往往引起了不同用水部门合理水权受到不合理的侵犯,而因此造成损失。

本书所探讨的关于竞争性用水的经济补偿机制及其相关问题主要是针对竞争性用水过程中合理水权受到侵犯的无序竞争性用

水行为,没有特别指出时均指该用水行为。

第二节　竞争性用水的水量分配原则

所谓水量分配,主要是指一定量的水资源在一定时段内的使用权的初始配置。竞争性用水的水量分配是在有限水资源条件下,将水资源使用权按照一定的原则分配给开发利用者。通过水资源总体规划和水资源配置方案,实现水资源在不同地区之间的优化配置。合理界定水资源使用权,是水资源合理利用的基础,也是完善水市场的前提。一些学者已经提出,由于水资源的特性和水资源作为商品的特性,决定了水资源使用权的界定不同于一般的资产(王浩等,2003)。竞争性用水的水量分配是在水资源更加稀缺地区的水资源使用权界定,应当遵循以下基本原则:

(1)可持续利用原则。水是国民经济发展的重要资源,是社会可持续发展的物质基础和基本条件,它的过度开发和水环境的破坏,必然削弱水资源支持国民经济健康发展的能力,并且威胁后代人的生存和发展,所以,在水量分配中,水资源可持续利用原则必须加以贯彻和实施。

(2)公平与效率兼顾、公平优先的原则。作为竞争性用水水量分配,必须充分体现公平性的原则。这样,落后和欠发达地区才能在发展阶段通过转让水资源使用权获得发展资金,而发达地区可以通过在市场上购买水资源使用权满足快速发展对水资源的需求。在满足公平性的前提下,应把水资源优先配置到经济效益好的地区。

(3)地域优先权原则。与下游地区和其他地区相比,水源地区和上游地区具有使用河流水资源的优先权,距离河流较近的地区比距离河流较远的地区具有优先权,本流域范围的地区比外流域的地区具有用水的优先权。

（4）留有余量原则。由于不同地区经济发展程度各异，需水发生时段不同，人口的增长和异地迁移会产生新的对水资源的基本要求。流域水资源配置在考虑生态系统需水的前提下，水资源配置还要适当留有余地，国家保留这部分预留资源的水权，不能分光吃净。

此外，还有时间优先原则、承认现状原则等。

第三节　竞争性用水的外部性

竞争性用水产生外部性，造成稀缺水资源在空间的利益发生互动，主要具有以下特征：

（1）竞争性用水使得稀缺水资源在空间上产生若干利益子区，子区间利益的传递形成了利益互动格局，这一格局影响到某个利益子区的可持续发展。

（2）竞争性用水利益方对其他用水者和企业产生外部不经济性和外部经济性，外部性大小随着区域发展过程逐渐变化，或者说存在一种不确定性区域外部性，致使外部性不能或难以及时完全补偿。

（3）流域外部性的产生，不是因为上游环境污染导致下游受损，而是出于下游对上游地方性资源的需求，上游因为供给这种稀缺资源而影响自身的发展。

竞争性用水外部性的存在，使得利益主体双方之间的成本收益价格受到扭曲，同时使区域的生产函数或消费函数受到影响，其他区域的生产或消费活动成为其决策函数的变量，因而会使利益主体双方生产函数远离帕累托最优状态，从而造成资源的错误分配，引起利益主体之间的冲突。

对于流域上下游之间由于对水量、水质的不同需求造成目前上下游利益主体之间的冲突，究其原因，一方面缺乏明确的水资源使用权分配办法,使上下游之间缺少具有约束力的分水方案,另一方面是缺乏有效的补偿制度与监督机制,用水利益主体之间缺少合作协调基础。这种冲突有两种结果:一种是上游利用其占据的有利位置过多地用水,造成下游用水减少,导致下游经济发展受到影响;另一种是在有关政策要求下,上游限制用水以保障下游经济发展所需水量,从而导致上游经济发展受限。

第四节　竞争性用水的补偿

在克服无序竞争性用水行为,实现有限水资源的有序利用,逐步建立和完善水市场进行水权分配与转让实践,达到合理配置水资源的基础上,实施有效的经济补偿能促进水资源合理开发利用,有利于水资源恢复。

一、竞争性用水补偿背景

开展竞争性用水外部成本内部化,实现水资源合理利用,是实施竞争性用水补偿的必然要求,可以从以下水资源利用现状来分析补偿的现实背景。

众所周知,河道中的水量本为沿河地区共同拥有,但是上游凭借其天然的地位优势,为本地区的发展超量取用河道中的水资源,使得中下游的合理水权受到侵犯,这势必会造成中下游水量不足,影响中下游地区的经济发展。如我国的黄河流域就存在抢水、争水、多取水的情况。黄河水资源是全流域共享资源,上下游取水人在取水权益上应当享有平等的地位。然而,目前比较突出的问题是,上游大量取水,使得下游地区在应当取水时河道中没有水,为保证用水不得不投入巨资兴建调蓄水库,这无疑加重了下游地区的经济负担。这一方面有水资源量本身不足的问题,另一方面上游地区超量取水、浪费水资源的责任也是不可推卸的。这些超量取水的受益者和浪费水资源者应当给予由此造成损失的取水者以经济补偿。

因此,在水资源量紧缺情况下,无论是下游用了上游的水,还是上游利用其地理位置优势用了本该属于下游使用的水,甚至一个地区占用了另一地区的水资源使用权,从资源利用角度看都属于竞争性用水。由于竞争性用水引起的经济损失,根据"谁受益,谁补偿"的原则,取用水方应当给予经济补偿。补偿内容包括:①下游对上游限制用水造成当地供水短缺所引起的经济损失;②上游超量取水造成下游用水短缺引起的经济损失;③跨流域调水造成调水区用水不足引起的经济损失等。以上补偿的内容都可以归纳为由于缺水造成的经济损失,包括工业、农业以及发电等经济损失。

二、竞争性用水补偿要点

作者认为,要解决上下游之间、地区之间用水冲突所造成的利益损失补偿问题,应当从宏观与微观水资源利用角度全面考虑利益的平衡。

首先,从水资源所有者分配水资源使用权的角度,应当制定相关制度法规明确水资源使用权的分配。

其次,利益双方通过合作协调,达到帕累托效益最优,获益的一方给受损的一方进行补偿,以保证合作的继续进行,合作双方都获得比不合作时更多的效益。

第三,依据有关法规,确定获益方对受损方的补偿标准。补偿标准确定合理与否对解决双方利益冲突具有非常关键的作用。计算竞争性用水缺水损失是确定补偿标准的基础。

最后,补偿的实施应该具有科学合理的执行程序与过程,以及相应的监督机制。

三、竞争性用水补偿经济激励作用

竞争性用水造成了外部不经济性,用水企业的边际私人成本 MPC(marginal private cost)小于边际社会成本 MSC(marginal social cost)。对于边际私人成本与边际社会成本之间的差异,经济学上将其定义为边际外部成本 MEC(marginal external cost)。通过对产生外部不经济性的竞争性用水行为实施征收补偿费制度,有利于激励用水企业减少取用水量。本书从微观经济学角度解释竞争性用水补偿费征收对企业减少用水量的激励作用,如图7-1所示。

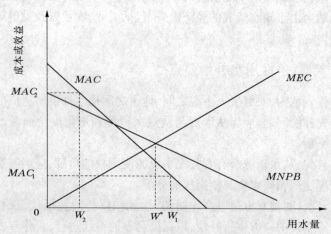

图 7-1　竞争性用水补偿经济激励作用

在图 7-1 中:MEC 为边际外部成本曲线,随着企业竞争性用水量的增大引起的外部成本也越高;$MNPB$ 为用水企业在没有安装节水设备、用水量随生产规模的扩大而同比例增加条件下,企业的边际私人纯收益曲线。根据边际效益递减规律,$MNPB$ 随用水量增大而减少;MAC 为企业的用水边际控制成本曲线,可以是边际节水成本。MAC_1、MAC_2 分别为不同用水程度 W_1、W_2 条件下的边际节水成本。由于用水量越大,节水潜力越大,节水的边际成本越小,因此 MAC 曲线是从左上方向右下方延伸的。

从企业追求利润最大化和社会效益最大化角度考虑,在不采取节水措施的情况下,$MNPB$ 曲线与 MEC 曲线交点处的取用水量 W^* 为最优水量,因为:①如果企业取用水量高于 W^*,边际外部成本大于企业边际私人纯收益,社会总收益不能达到最大;②如果企业取用水量低于 W^*,企业利润最大化不能实现,因此企业会以提高取水量来继续发展生产。因此,W^* 为企业在不采取节水措施情况下的最优用水水平。

在这种情况下,当向企业征收外部效应补偿费时,企业只有缴纳补偿费和缩小生产规模两种选择。如果补偿费征收标准高于边际私人纯收益,企业就只有缩小生产规模一种办法。

当存在缩小生产规模、缴纳补偿费及购买安装节水设备时,如果补偿费征收标准既高于边际私人成本,又高于边际节水成本时,就可以在缩小生产规模或购买安装节水设备中做选择。无论是缩小生产规模,还是购买安装节水设备都将减少企业的用水量,也就是说缴纳补偿费能刺激企业想办法减少水的取用量。

激励企业购买安装节水设备,在生产规模扩大的同时使用水量保持在最优水平,这是采取征收竞争性用水补偿费的目的之一。

因此,通过对竞争性用水地区或企业征收外部成本补偿费,有利于激励用水地区或企业改变生产方式、提高用水效率,从而达到减少水资源取用量、缓解水资源量短缺的目的,对水资源数量的恢复具有积极作用。

四、竞争性用水缺水损失补偿机制

竞争性用水必然造成至少一方的用水短缺,短缺的水资源直接或间接影响该地区、企业或部门经济的发展。由于竞争性用水,地区、企业或部门因缺水而造成经济损失,这不符合我国水资源公平利用、合理负担的原则,也不利于我国水资源持续利用的客观要求。确定竞争性用水缺水经济损失量是补偿由于缺水造成的经济损失的基础。

(一)缺水损失计算模型

本书以由于竞争性用水而导致的地区经济损失为评价对象,建立起缺水损失的计算模型。对于地区经济损失的评价,我们考虑依据不同行业缺水量来分别计算各行业的缺水损失。

1. 单位缺水量的经济损失确定

为了计算不同行业缺水造成的损失,首先要确定不同行业的单位缺水损失。计算不同用水行业单位缺水量的经济损失(PS_{gi})思路如下:

(1)缺水各地区工业用水的单方水经济损失等于工业产值除以工业供水量。

(2)城镇和农村生活用水的供水优先级别、保证率和水质比工业供水的要求还高,其单位水量的经济价值应高于或等于单位水量工业用水的价值。

(3)缺水各地区灌溉用水的单位水量经济损失等于农业产值除以农业供水量。

2. 地区竞争性用水缺水量确定

缺水经济损失根据地区单位水量的经济价值和缺水量多少综合确定。分析竞争性用水引起的地区缺水量首先需要解决的是:①如何确定缺水量在受影响地区间的分布;②如何确定地区缺水的行业分布。

由于竞争性用水而受影响的地区缺水量大小存在差异。地区缺水量大小可以通过对各地区水资源供需平衡分析来确定。水资源供需平衡分析通过对区域可供水量和需水量的评价,来确定区域水资源供需紧张程度或供水缺口大小。在竞争性用水区域内,被限制用水地区的供水缺口会因限制用水而增大。因此,在地区供水平衡分析的基础上评价增大的用水缺口即为地区竞争性用水缺水量。

确定同一地区缺水量的行业分布的原则是:①根据各地区供需平衡分析结果,先尽量满足重要性高、单位水量经济价值大的行业的用水,后满足单位水量经济价值小的行业的用水;②对于经济价值难以定量评价的行业,其用水将按基本的规划设计需水量供给,缺水主要是在单位水量水经济价值最低的行业。

3. 竞争性用水缺水损失计算

由于缺水,各地区单位水量的经济价值大小不同,缺水经济损失量要按受影响地区分行业分别计算。计算方法为:首先将缺水各地区各水文年的缺水过程换算成多年平均缺水量,确定各行业缺水量;再计算各地区各行业限制用水的缺水经济损失。计算公式如下:

(1)某地区第 i 行业因缺水造成的经济损失计算模型为:

$$F_{git} = WS_{git} \cdot PS_{gi} \tag{7-1}$$

(2)某地区因缺水造成的经济损失计算模型为:

$$F_{gt} = \sum_{i=1}^{n_g} F_{git} \tag{7-2}$$

(3)因缺水造成上游地区总经济损失计算模型为:

$$F_t = \sum_{g=1}^{m} F_{gt} = \sum_{g=1}^{m} \sum_{i=1}^{n} F_{git} \tag{7-3}$$

上述式中: t——计算时段;

$\quad\quad\quad g$——竞争性供水地区;

$\quad\quad\quad i$——某地区的缺水行业;

$\quad\quad\quad WS_{git}$——g 地区 i 行业第 t 时段的缺水量;

$\quad\quad\quad PS_{gi}$——g 地区 i 行业的缺水经济损失单价;

$\quad\quad\quad F_{gt}$——g 地区第 t 时间段所受的缺水经济损失;

　　　　　　n_g——g 地区行业数目；

　　　　　　m——缺水地区数目；

　　　　　　F_t——各地区第 t 时间段所受的总缺水经济损失。

　　需要指出的是,运用该模型评价的是竞争性用水造成地区直接经济损失。但是由于水资源与经济系统之间存在复杂联系,各经济部门之间相互影响,缺水还将引起其他部门的间接经济损失。因此,竞争性用水造成的经济损失既有直接的,也有间接的。为此,可以采用将竞争性用水引起的地区水资源变动纳入相应的宏观国民经济模型中,即利用水资源投入产出模型,全面考察竞争性用水引起地区缺水而造成的直接、间接经济损失。

(二)缺水损失补偿标准确定

　　由于竞争性用水使部分地区所受的缺水经济损失,全流域受益地区都应当承担损失的补偿,尤其是"抢占"其他地区水资源发展经济的地区更应对损失给予补偿。补偿多少,即补偿标准应视各受益地区超取用水量的多少来确定。超取用水量是指取用了超过本地区或本行业分配水量的那部分水量。因此,各地区或各行业初始分配的用水量和实际取用水量是确定超取用水量的依据。假设受益各地区 t 时段超取用水量分别为 W_{sit},全流域超出分配用水量是各地区超取用水量的总和,为 W_{st}：

$$W_{st} = \sum_{i=1}^{k} W_{sit} \qquad (i = 1, 2, \cdots, k) \qquad (7\text{-}4)$$

式中：k——全流域超出分配用水量的地区数。

　　因此,可以确定受益区应当承担缺水损失补偿的标准为：

$$f = \frac{F_t}{W_{st}} \qquad (7\text{-}5)$$

式中：f——单位超用水量损失补偿标准。

　　根据"谁受益,谁补偿"的原则,作者认为,应该对由于在竞争性用水做出贡献而使利益受到损害的地区进行补偿,这种补偿应以补偿费的形式作为资源成本的一部分纳入水价体系当中。补偿费用按超取用水量的多少由受益方上缴给水行政管理部门,由水行政管理部门统一向受损失地区发放相应的补偿费用,用于弥补地区损失。

(三)竞争性用水的补偿监督机制

竞争性用水补偿制度可以通过市场经济激励机制来约束用水者的行为,但是,水资源是一种具有准公共物品性质的资源,竞争性用水补偿还需要政府宏观干预,建立严格的监督执行机制才能保证补偿的顺利进行。目前我国水费是由水行政主管部门负责征收,如果受益者拒绝缴纳补偿费,或者征收部门不能及时将征收的补偿费有效地用于补偿受竞争性用水影响的地区或部门的经济损失,那么就不能很好地履行用水利益双方的用水合约。因此,建立补偿费的征收与使用监督机制是非常必要的。

(1)竞争性用水补偿费征收监督机制。各级水行政主管部门组织建立有权威性,并能代表国家行使监督权的监督管理体系,监督因使用竞争性水量获得收益的一方执行用水补偿行为;建立水资源效益监督机构,监测竞争性用水利益各方效益变化和效益评估。竞争性用水利益双方之间也需加强协作达成共识,形成强有力的相互监督力量。

(2)竞争性用水补偿费使用监督机制。对于征收的竞争性用水补偿费建立专户储存,专款专用,水行政主管部门根据限制用水区经济损失评价结果,对竞争性用水补偿费做出使用计划、财政、审计等部门按程序监督,以保证用水限制区能及时、足额获得受益区给予的补偿费,弥补因限制用水而造成的社会经济损失,保证地区社会经济的持续发展。

小　结

在水资源短缺地区,势必会发生地区之间、部门之间竞争性用水现象。合理的竞争性用水经济补偿能有效协调用水各方的利益关系,促进水资源的合理开发利用,避免水资源产生与存在条件的进一步破坏,保障区域水循环的正常进行,为实施区域水资源数量的恢复创造有利条件。

本书定义竞争性用水为:由于水量不足、水质达不到用水标准或工程调蓄能力有限等原因,用水户在用水目的上、时间上和地域上发生冲突,在这种水资源紧缺情况下的用水户之间的用水关系,称之为竞争性用水。本章进行了关于竞争性用水补偿的理论与方法研究,得出了如下几点主要结论。

(1)分析认为对发生竞争性用水的地区或部门,有效的解决方式之一便是进行合理的水量分配。竞争性用水的水量分配是在水资源更加稀缺地区的水资源使用权的界定,使用权界定应当遵循可持续利用、公平与效率兼顾、公平优先、地域优先权、留有余量、时间优先以及承认现状等原则。

(2)从微观经济学角度分析显示:竞争性用水行为往往产生外部性,造成稀缺水资源在空间的利益发生互动。本章分析竞争用水引起水资源空间利益互动的特征,认为发生利益冲突的原因有:①缺乏明确的水资源使用权分配办法,使上下游之间缺少具有约束力的分水方案;②缺乏有效的补偿制度与监督机制,使用水利益主体之间缺少合作协调的基础。

(3)从竞争性用水现状分析了竞争性用水补偿的必要性,并从经济学角度分析了进行竞争性用水补偿的经济激励作用,发现对竞争性用水地区或企业征收外部成本补偿费,有利于激励用水地区或企业改变生产方式、提高用水效率,从而达到减少水资源取用量,缓解水资源量短缺的目的。

(4)分析归纳竞争性用水地区间经济损失补偿,主要内容包括:①下游对上游限制用水造成上游供水短缺所引起的经济损失;②上游超量取水造成下游用水短缺引起的经济损失;③跨流域调水造成调水区用水不足引起的经济损失等。以上补偿的内容都可以归纳为由于缺水造成的经济损失,包括工业、农业以及发电等经济损失。

(5)对竞争性用水缺水损失补偿机制进行了探讨,建立了缺水损失计算模型及补偿标准的确定方法,并从竞争性用水补偿费的征收与管理使用环节提出建立相应的监督机制。

总结本章的研究结果得出:对因竞争性用水造成的地区经济损失,竞争性用水受益方应承担相应的损失补偿。这一方面体现了我国水资源公平使用的原则,另一方面能通过补偿的经济激励作用,促进补偿双方合理开发利用水资源。竞争性用水的合理经济补偿将有利于促进水资源公平合理的开发利用,降低不合理利用对水资源的破坏,对促进水资源的恢复具有积极作用。

第八章　水资源利用环境成本补偿

　　人类开发利用水资源的活动往往会给生态环境造成影响,从而影响着人类自身。这种影响通常表现为负面影响,如人类过量抽取地下水资源造成地下水位下降、地面沉陷;大量排放污水造成水体恶化、清洁水源减少等。人类的这种不顾后果的水资源利用行为,对水资源的自我恢复能力造成极大的损害,给社会、经济和环境协调发展造成了严重威胁和损失。丧失了具有恢复能力的水资源,枯竭是其最终的结果,它所引起的生态毁灭是人类所不能承受的。因此,对水资源利用引起的环境成本进行合理的补偿,有效抑制危害水资源的行为不仅是必要的,也是迫切的。

第一节　水资源利用环境成本的含义及内容

　　水资源开发时要建设水利工程,往往会破坏当地天然的生态系统结构,造成地下水位、地区小气候、生物多样性等发生变化,不合理的水资源开发会严重影响生态系统甚至社会经济系统的发展。排放的污水影响了洁净的水源,不仅减少了水资源可利用量,而且也引起了生态环境的恶化等。这里将水资源利用的环境成本定义为:用户开发利用水资源对他人或生态环境造成的影响与损失,包括:①在水资源稀缺状况下,水资源利用造成天然水资源量减少对生态环境的影响;②污水排出用户范围后对他人或公共水环境造成的污染损失;③水资源开发利用活动导致的河道断流萎缩、地下水位下降以及水生态功能降低等。

　　水资源开发利用环境成本涉及的内容比较多,总体来说主要包括:①水资源不合理开发造成的生态环境影响;②水资源利用不当和废污水排放造成的生态环境影响等。水资源开发、利用对生态环境的影响是非常复杂的生态资源问题,由于受研究时间所限,本书主要探讨关于水污染引起的环境成本及其相关补偿问题,也为下一步的研究奠定基础。

第二节　水资源利用环境成本的外部性

一、水资源利用环境成本外部性解释

在市场机制作用下,水资源开发利用引起的环境损失常常不能得到开发利用者的补偿,例如由于取水或排污所造成的环境损失并不由取水者或排污者承担,因此受损害者也并未得到应有的补偿,这便是使用水过程中引起的外部性。这种外部性因为是一种损失,也称为外部成本。

外部性的存在造成资源配置的低效率和日益严重的环境问题。污水排放带来巨大的外部不经济。首先,它产生生产上的外部不经济,即一个经济单位采取的排污行动使他人付出了代价而他人又不能得到补偿;其次,它产生消费上的外部不经济,即一个用水者用后排出的污水使他人付出了代价(感到福利水平下降)而他人不能得到补偿。水污染环境成本的外部性就是指以水作为生产或生活要素的企业或个人排放污水给其他企业或个人的生产或生活,甚至给社会造成的外部不经济行为。外部不经济行为使排污生产者进行生产时社会成本大于私人成本($C_s > C_p$)。生产每一单位产品的社会成本包括生产者"私人成本"加上社会上某些经济主体因受到污染所产生的成本。外部不经济存在时,市场均衡达不到资源配置的最优状态。下面举一个例子来说明污染的外部性影响。

如图 8-1 所示,假设在一条河的流域内只存在一个游乐场和

一个纺织厂,纺织厂处于河流上游,而游乐场处于河流下游。河流的流量很小,其纳污能力或水环境净化容量几乎为零。纺织厂和游乐场都想利用河流水资源,纺织厂把小河作为纳污体,将未经处理的印染废水直接排入河流;游乐场则想利用河水来吸引游客休闲娱乐。如果这两家企业或公司不由同一个主人或主管单位所有,那么,该河流资源的有效利用是很难的。其原因可以从以下几方面来分析:①河流水资源既不为纺织厂所有,也不为游乐场所有,它是一种公共物品;②纺织厂为了减少生产成本,一方面不承担废水处理费用,另一方面不承担由于它向河流排放废水引起游乐场收入减少的补偿;③游乐场生产函数中的投入要素除了一般的资本和劳动外,还有取自河流的水量和水质。在这种情况下,纺织厂的生产函数或生产费用的核算完全不能反映游乐场收入的减少,其结果是纺织厂产量越高,排放废水量越大,游乐场的收入越少,最后可能导致游乐场关闭或另寻水源。这种纺织厂给游乐场带来不利影响是污染造成的外部性。确切地说,这是一种外部不经济或负外部性。

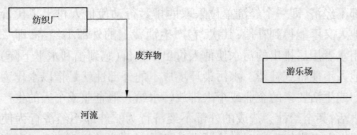

图 8-1　上游纺织厂向河流排放废弃物影响下游游乐场效益

下面用供求曲线来说明水污染外部不经济的产生与确定,如图 8-2 所示。

某企业以水作为生产投入物进行产品生产,同时污水是其生产过程中的产出物,污水的排放产生了外部不经济。根据图中所

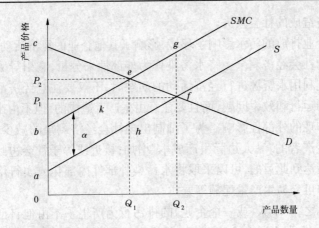

图 8-2　水污染外部不经济分析

示,D 曲线是以水为生产投入物生产的产品的需求曲线,S 曲线是该产品的供给曲线,SMC 曲线是包含水污染外部不经济在内的社会边际成本曲线。SMC 曲线之所以在 S 曲线的上方,其原因是:供给曲线 S 表示生产者直接负担的边际成本(私人边际成本),不包含外部不经济成本;SMC 曲线则表示的是包含外部不经济成本的社会全体的边际成本,所以 SMC 曲线与 S 曲线在纵轴方向的差 α 表示生产单位产品所产生的外部不经济成本。

$$\alpha = SMC - S \qquad (8\text{-}1)$$

产品的市场均衡是由 D 曲线与 S 曲线的交点 f 所决定的,供需均衡价格是 P_1,供需均衡量是 Q_2,此时的消费者剩余是面积 cfP_1,生产者剩余是(面积 P_1kb − 面积 gkf),社会经济剩余是(面积 bce − 面积 egf)。

在考虑外部不经济存在的情况下,其社会经济剩余最大时的产品的生产量为 Q_1,此时的社会经济剩余为面积 bce。因此,在市场均衡状态下存在着($Q_2 - Q_1$)数量的生产过剩。该生产过剩所带来的社会经济剩余损失额为面积 egf,也就是由于污染外部不经济造成的社会损失。

企业排放的污水影响了环境,影响了其他企业的经济活动,进而影响社会经济剩余。将水污染作为外部性来分析,它引导人们在研究利用水资源进行经济活动的问题时,不仅要注意经济活动本身的运行和效率问题,而且要注意由生产者造成的,但不由市场机制体现的外部性影响。为了抑制出现社会经济剩余的减少,必须使生产者的"私人边际生产成本"增加,接近或等于社会边际成本。为达到此目的,可以采取将水污染外部性内部化或实行增量控制与可交易生产量配额等方式。

总之,一个人(或一个企业)的排污行为产生了不由他自己偿付的成本,那么这个人(或企业)就会无所顾忌地继续这种活动,以致使这种排污行为排出的污染物数量超过了水环境所能容纳的量,影响了水体功能环境,也破坏了他们生产消费的基础。显然,在发生外部不经济时,私人成本小于社会成本,其差额是污染程度不断加深的根源。为了阻止这种行为的继续,保护与恢复水环境,必须切断这个根源。具体做法是让排污者承担由于其行为所造成的私人成本与社会成本的差异,以刺激其改变生产或消费方式,减少排污量。

二、水资源利用环境外部成本的评估

对于外部成本的评估方法有多种,大体可分为三类:直接市场法、替代市场法和意愿调查评估法(骆玉霞,张坤民,2000),现对这些方法简要介绍如下。

(一)直接市场法

该方法的基本思路是认为水污染和生态破坏会直接导致生产成本和生产率的变化,进而导致投入和产出水平的变化。这种变化可以通过市场价格或影子价格来测算。具体评估方法有市场价值法或生产率法、人力资本法或收入损失法、恢复或防护费用法。

(二)替代市场法

有时,水环境的变化并不一定会导致商品和劳务产出量的变化,但却有可能影响某些商品和劳务的价格。因而可以用市场信息间接估计环境质量变化的效益或损失,因为它间接反映了人们对水环境的支付意愿。这种方法称为替代市场法。具体评估方法有旅行费用法、资产价值法、工资差额法。

(三)调查评价法

通过对消费者直接调查了解他们对水环境质量的支付愿望或承受一定程度环境损害时接受赔偿的意愿。与直接市场法和替代市场法不同,该法不是基于市场行为,而是基于被调查者的回答。这既是该法的特点,又是该法的缺点。该法可以分为两类:一类方法是直接询问调查对象的支付意愿或受偿意愿,其中包括通过反复叫价来确定调查对象意愿的"叫价博弈法"和通过调查对象对环境质量与货币支出的不同组合所做出的选择来判断调查对象意愿的"权衡博弈法"。另一类方法是询问表示上述意愿的商品或劳务的需求量,并从询问结果推断出支付意愿(张帆,1997)。

对于上述三种有关外部成本的评估方法,通常认为,直接市场法建立在明确的因果关系和充分信息基础上,相对客观,但此法需要有足够的实物量数据和市场价格数据。替代市场法涉及的信息往往是多种因素综合作用的结果,很难从中分离出水环境因素单独作用的结果,因此可信度较差些。意愿调查法所评估的是调查对象对调查者宣称的"意愿",而非体现真实意愿的实际行动,因此可能产生各种偏倚,其可信度最差。因此通常采用直接市场法,替代市场法次之,接着是意愿调查评估法。

三、水资源利用环境外部成本的内部化

污染排放产生外部性,而且是外部不经济性,解决污染外部性的有效手段之一是使污染外部成本内部化。所谓污染外部成本内

部化,就是使生产者或消费者产生的污染外部费用进入他们的生产和消费决策,由他们自己承担或"内部消化",从而弥补外部成本与社会成本的差额,以解决污染外部性问题。关于污染外部成本内部化的方法或途径有许多讨论,尤其是 20 世纪 70 年代以来更是涌现出大量的相关研究。其中一种方法是来自于政府的直接管制。政府通过有关法律、政策及行政规定,来消除或减少外部不经济。例如,政府对造纸厂、化工厂、铝工厂等制定污水排放标准时,规定工厂必须有废水处理的设计、装置和车间,即通过法律或行政手段,将污水处理纳入生产过程,迫使生产者必须装备污水净化设施。从而使生产者"私人边际成本"增加,即将消除外部不经济支付的社会成本纳入生产过程中来,成为"私人成本";另一种方法是采用环境经济手段改变生产行为,运用市场机制的调节作用使外部成本内部化,促进企业降低污染排放。例如,实施排污权交易能激励生产者改进工艺,减少污水排放,将节省下来的排污权用于交易,获取更大的收益。因此,可以实现有效控制污染。

四、水资源利用环境成本补偿的经济激励作用

如前所述,不当的水资源利用造成了外部不经济性,如企业利用水资源进行生产的同时向外界环境排放大量污水,引起周围水环境质量降低,甚至恶化,也给其他用水户及社会造成外部不经济。此时,用水企业的边际私人成本小于边际社会成本($MPC <$ MSC),边际私人成本与边际社会成本之间的差异就是排污者造成的边际外部成本(MEC)。如何使这种外部成本内部化,成为恢复水环境、实现水资源可持续利用的关键。本书考虑为使外部成本内部化可以采用对产生不经济外部性的排污行为实施征收排污费(税)以及开展排污权交易等方式,以此激励用水企业减少取用水量,并设法降低排污量,包括采用改进生产工艺,采用清洁生产等手段。排污费(税)征收标准应该是弥补产生的边际外部成本。

从微观经济学角度也可以解释征收排污费(税)的激励作用。如图8-3所示。

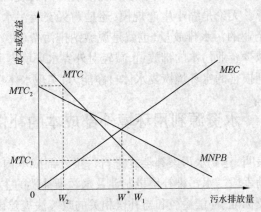

图 8-3　环境成本补偿经济激励

在图8-3中：MEC(Marginal External Cost)为边际外部成本曲线，随着企业排放污水量的增大造成的外部成本越高；MNPB(Marginal Net Private Benefits)为用水企业在未采取安装节水设备的措施时，排放污水量随生产规模的扩大而同比例增加条件下，企业的边际私人纯收益曲线；MTC(Marginal Treatment Cost)为企业的污水治理边际成本曲线，MTC_1、MTC_2 分别为不同污水排放程度 W_1、W_2 条件下的边际治理成本。由于排污量越小，环境污染的程度越低，进一步治理污染的难度就越大，相应的边际治理成本就越高，所以 MTC 曲线是从左上方向右下方延伸。

从企业追求利润最大化和社会效益最大化角度考虑，在不采取污水治理措施的情况下，对企业征收排污费(税)时，企业只有缴纳排污费(税)和缩小生产规模两种选择。如果排污费(税)征收标准高于边际私人纯收益，企业就只有缩小生产规模一种办法。

当存在缩小生产规模、缴纳排污费(税)及购买安装污水治理设备时,如果征收的排污费(税)标准既高于边际私人成本,又高于边际治理成本时,就可以在缩小生产规模或购买安装污水治理设备中做选择。无论是缩小生产规模,还是购买安装污水治理设备都将减少企业的污水排放量,也就是说缴纳排污费(税)能刺激企业想办法减少企业污水的排放量,减轻对外界水环境容量的压力,有利于受到损害的水环境恢复水体自净能力,实现水体功能恢复。

第三节　水资源利用环境外部成本的补偿机制

分析表明,建立水污染补偿是进行污染外部成本内部化有效的经济激励手段。水污染补偿机制涉及水污染补偿的主体、对象、补偿形式及标准、补偿途径和与补偿相关的政策法规建设等内容。水污染补偿的主体是一切排污者;补偿的对象是因水污染而受到损失的企业或个人,甚至是水资源的所有者——国家;补偿的形式可以有多种;补偿的目的都是为了控制污染排放、改善水环境、恢复水与人类的和谐相处的局面。

其中,水污染补偿形式是水污染补偿机制的主要内容,本节将重点分析。根据水污染补偿的目的及其自身的特点,水污染补偿的形式可以有征收排污收费(庇古税)制度及排污权交易制度等。这两种制度尽管形式不同,但是都能有效抑制污染的排放,补偿污染损失,促进水资源恢复。

一、排污收费制度

排污收费也称"庇古税",这是由于征收污染税的想法是英国经济学家阿瑟·庇古(Arthur C. Pigou)最先提出的。在《福利经济学》(The Economics of Welfare, 1920)一书中,他建议:应当根据污染所造成的危害对排污者征税,用税收来弥补私人成本与社会成本之间的差距,使两者相等。这种税被称为"庇古税"(Pigovian

Taxes)。庇古税的特点是对排污者征税。

(一)排污收费的目标与功能

排污收费制度具有以下显著的目标与功能：①排污收费能使社会以最低的费用达到相同的环境目标，即刺激排污削减功能，也是排污收费制度实施的主要目标所在；②筹集资金，进行治理污染投入或实施污染损失补偿，也称具有财政功能；③损失补偿，对由于污染而造成的损失进行补偿。从许多国家的排污收费应用实践来看，或是选择排污收费的刺激削减功能，或是选择筹集资金功能，或是两者兼有，不乏也有污染损失补偿功能。

通过征收排污费，污染者将把它的污染排放量限制在最优水平上。最优污染水平是指能够使社会纯收益最大化的污染水平。如图 8-4 所示。污染者从事环境污染的商品生产，是为了追求自身利润即私人纯收益。私人纯收益减去未由污染者承担的外部成本，就是社会纯收益。

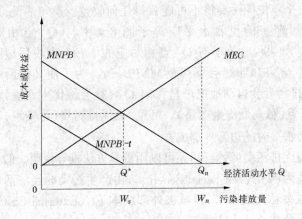

图 8-4　最优污染水平

图 8-4 中，MNPB 代表边际私人纯收益，MEC 代表边际外部成本。由于两条曲线都表示边际量，它们下方的面积表示总量。

当经济活动水平为 Q^* 时,总收益与总成本之差最大,相应的最优经济活动水平为 Q^*。

排污费的征收使生产的外部成本内部化,由此激励污染者采取最优污染水平从事生产,扩大生产意味着要承担更高的污染税,则私人纯收益将减少。私人利润最大化追求将刺激污染者缩小生产,从而也降低了污染排放。这便体现了征收排污费降低污染排放的激励作用。

作为水资源恢复经济手段之一,排污收费制度的刺激排污削减功能是执行这项制度的主要功能和重要目的,另外两项功能也从不同角度促进水资源的恢复,如筹集资金功能为水环境治理与防护提供物质基础,损失补偿功能有利于促进水环境资源的合理利用。

(二)最优排污费(污染税)标准的定义模型

根据庇古的思想,污染税应定义在这样一点上,即排污者再多削减一个单位的污染将不可能获得任何收益。换句话说,从效率观点看,理想的税收水平应等于图 8-4 中与 Q^* 点相对应的 MEC。如果税收等于与 Q^* 点相对应的 MEC,则税后边际私人纯收益 $MNPB$ 曲线会下移至 $MNPB-t$。为了使其税后利润最大化,排污者会自动地把产量移向 Q^*(社会最优生产量)而不是在 Q_n 点(私人最优生产量)。可见,最优排污费(污染税)等于最优污染水平时的边际外部成本。

最优排污费(污染税)还可以用数学方法推导说明。假设社会净效益为 NSB(Net Social Benefits),由产生污染的经济活动的总效益减去私人成本 C,再减去外部成本 EC(External Cost)获得,有如下公式:

$$NSB = p \cdot Q - C(Q) - EC(Q) \qquad (8-2)$$

式中:p——产品价格;

Q——产生污染的经济活动的产量。

在完全竞争的假设下，p 值不依赖于 Q。

NSB 最大化的一阶条件为：

$$\frac{\partial NSB}{\partial Q} = p - \frac{\partial C}{\partial Q} - \frac{\partial EC}{\partial Q} = 0 \tag{8-3}$$

因此，

$$p = \frac{\partial C}{\partial Q} + \frac{\partial EC}{\partial Q} = \frac{\partial SC}{\partial Q} = MSC \tag{8-4}$$

式中：SC（Social Cost）——社会成本，等于 C 与 EC 的和。

社会净效益最大化要求满足式（8-4）。社会净效益的最大化也可表示为边际私人净效益等于边际外部成本：

$$p - \frac{\partial C}{\partial Q} = \frac{\partial EC}{\partial Q} \text{ 或} \frac{\partial NPB}{\partial Q} = \frac{\partial SC}{\partial Q} \tag{8-5}$$

式中：NPB（Net Private Benefits）——私人净效益。

满足社会效益最大化的条件式（8-4）的最优庇古税（排污费）t^* 为边际外部成本：

$$t^* = \frac{\partial EC}{\partial Q^*} = MEC \tag{8-6}$$

式中：Q^*——企业最优经济活动的产量。

则产品价格 p 为边际私人成本加上最优庇古税（排污费）：

$$p = \frac{\partial C}{\partial Q^*} + t^* \tag{8-7}$$

式（8-7）表明当企业生产存在污染外部性时，要实现社会纯收益最大化，则要求相应产品的市场价格等于最佳经济活动水平 Q^* 时的边际私人生产成本与边际外部成本之和。则相应最佳经济活动水平 Q^* 时的边际外部成本为最优排污收费标准。

(三)排污收费标准的确定方法

由于在实际上很难得到企业的 $MNPB$、MEC 等信息，往往最优庇古税（排污收费）标准 t^* 的确定存在较大困难，因此实际常常采用近似最优水平的方法来确定。从现有的技术方法来看，本书考虑采取的收费标准确定方法有以下三种,它们分别是边际处理费用(成本)法、处理费用分摊法和边际损失法。就功能模式的影响而言,刺激削减型收费标准比较适合于选择边际处理费用(成本)法,筹集资金型收费标准比较适合于选择处理费用分摊法,损失补偿型收费标准适合于边际损失费用法,分述如下。

1. 污染边际处理费用(成本)法

所谓污染边际处理费用成本是指增加单位排污量,企业或社会进行污水处理所增加投入的费用,即削减污染增加的投入成本。污染边际处理成本随污染排放量增加而递增。污染边际处理成本递增规律告诉我们,在给定的污染物产生总量和其他条件不变的情况下,污染边际处理费用随着污染削减量的增大(或污染排放量的减少)而上升。由于排污收费能使每个排污者的边际处理成本最终趋于相等,即等于相应的收费标准,所以,当污染削减量或排放量的控制要求改变时,如果仍然期望通过实施排污收费来达到污染控制目标,收费标准(等于边际处理成本)也应作相应的改变或调整。边际处理费用确定如下:

假设根据 N 个企业污染治理样本点,通过统计回归得到企业平均污染物治理或削减费用函数为:

$$CF = f(W) \qquad (8\text{-}8)$$

式中:CF——相应污染物排放量下的治理费用(包括设备折旧和直接运行费);

　　　W——单位时间内企业的污染物排放量。

根据上式得到企业的平均边际处理费用函数 MCF:

$$MCF = \frac{\partial CF}{\partial W} = f'(W) \qquad (8\text{-}9)$$

根据上式得到如图 8-5 所示的边际处理费用曲线。

由图 8-5 可以知道在特定污染治理削减目标或污染物排放控制目标下的边际处理费用。在这种情况下,为使污染控制费用最

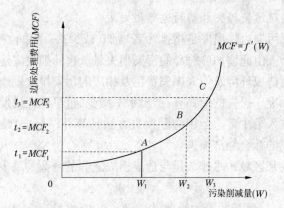

图 8-5　利用边际处理费用曲线确定收费标准

低,则污染物排放的收费标准应该等于相应污染削减或排放控制目标下的边际处理费用。

2.基于筹集资金费用分摊法

费用分摊法的基本依据是特定区域污染治理规划所需要的费用以及相应的污染处理量。这类规划包括常见的城市污水处理和一些易于集中治理的污染控制等。

根据费用分摊法确定的收费标准,一般要求能够完全或部分抵销实施一年或若干年污染控制规划所需的支出。我们称这种收费标准是一种收支相抵的收费标准,主要起到一个筹集资金,重新控制污染等功能。该收费标准的确定公式为:

$$t_r = \frac{PC}{W_b} \tag{8-10}$$

式中: t_r——旨在重新控制污染的收费费率标准;

　　　PC——特定区域和时间范围内的污染控制规划费用;

　　　W_b——相应的污染排放量。

显然, t_r 实际上就是一个把污染控制规划的费用平均分摊到单位污染排放量应承担的费用。

3. 实现污染损失补偿的边际损失法

所谓污染边际损失是指排污者增加(减少)一个单位排污量,社会或个人由此增加(减少)的污染损失量。边际损失法是基于已排污染物造成环境及他人损失费用及相应的污染排放量确定的排污收费标准。损失的形式有:产出水平减少、过早死亡或发生疾病而致使收入减少等。运用边际损失方法计算补偿标准,赔偿由于排污造成的社会经济损失。

假设某区域污水排放量与造成损失之间的函数关系表示为:

$$LF = g(W) \tag{8-11}$$

式中:W——区域污染物排放量;

LF——相应污染物排放量造成的损失。

通常情况下水污染损失通过评价水污染对农业、工业、公共事业、居民生活以及旅游休闲业等的综合影响获得。

根据上式得到污染的边际损失函数 MLF:

$$MLF = \frac{\partial LF}{\partial w} = g(W) \tag{8-12}$$

实际上,确定污染边际损失函数具有非常大的难度,往往是难以实现的。因此,通常也采取近似的方法来获得,如通过制定边际损失曲线,近似表示不同污染排放量所引起的边际损失。制定步骤如下所述:①选择产生水污染外部不经济成本的企业 i,并分析其合理性和代表性;②对各企业由于产生外部不经济而造成的损失及相应排污量进行评价(LF_i,W_i);③各企业按损失从小到大的顺序进行排序(LF_i^p,W_i^p);④将排序后相应各企业的排污量累计 $W_p = \sum_{k=1}^{p} W_i^k$,与排污损失共同得出研究区域水污染的边际损失 MLF_p,绘制边际损失曲线(W_p,MLF_p),如图 8-6 所示;⑤分析边际损失曲线的合理性。

企业在达标排放的基础上,根据本单位的污水排放量 W_i,参

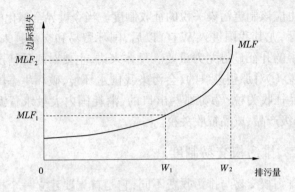

图 8-6　区域水污染的边际损失曲线

考污染边际损失曲线,缴纳相应的排污费标准。

　　总体上说,边际处理费用(成本)法比较适合制定旨在刺激排污者削减污染的收费标准,而治理费用分摊法则比较适合于制定那些难于采用点源控制或点源治理不经济的污染物收费标准,尤其是那些只能采用集中控制措施才能有效削减污染物的排放收费标准制定。边际损失法主要是考虑对排污造成的损失进行补偿而制定的。

　　排污收费制度是由政府首先给所有产生污染的企业确定一个污染的负价格——排污费率。企业必须按照这一费率和它排污的总量缴纳排污费。1984 年 5 月第六届全国人大第五次会议通过的《中华人民共和国水污染防治法》规定,"企业、事业单位向水体排放污染物的,按照国家规定缴纳排污费;超过国家或者地方规定的污染物排放标准的,按国家规定缴纳超标排污费,并负责治理"。这项规定,从法律上明确了企业、事业单位只要向水体排放污染物就应该缴纳排污费。现行排污收费政策为刺激排污单位减少污染物的排放,促进排污单位加强污染治理,节约和综合利用资源,以及为促进整个环保事业的发展,发挥了重要作用。

　　另外值得注意的一点是,除在国内征收污染税(排污费)以外,国家也应该制定污染关税的征收制度。当今世界全球化的趋势日趋迅猛,尤其我国进入 WTO 以后,国际贸易和交流越来越多,污染关税的开征显得尤为重要。具体来讲,主要对两种情况征收污染关税:①对那些进口的,会污染我国水环境、破坏生态的原材料和产品征收关税;②对那些出口的,消耗国内大量水资源的原材料、初级产品、成品征收关税。

二、排污权交易制度

排污权交易与排污收费不同,它是首先要建立一个排污权能够自由交易的市场(陈安国等,2002),允许排污权所有者在市场上像交易商品一样交易排污权,实现环境容量资源的优化配置。对于水环境资源可以实现水环境容量的优化配置,保护水体的自净功能,促进水体功能的恢复。

(一)排污权交易的基本涵义

排污权交易是当前受到各国关注的环境经济政策之一。它在20 世纪 70 年代由美国经济学家戴尔斯提出(Tietenberg,1985),首先被美国国家环保局用于大气污染源及河流污染管理(波特内,1993),德国、澳大利亚、英国等国家相继进行了排污权交易政策的实践(Bernstein,1993)。我国在大气污染控制方面也展开过了交易排污许可证的试点工作,并取得了一定成效(刘兰芬,1998)。对于水污染排放权交易尚处于起步阶段,还缺乏实施的前提基础条件。

需要强调的是,排污权交易必须以总量控制为条件。所谓总量控制是将管理的地域或空间作为一个整体,根据要实现的环境质量目标,确定该地域或空间一定时间内可容纳的污染物总量,即生产者应采取措施使得所有污染源排入这一地域或空间内的污染物总量不超过可容纳的污染物总量,保证实现环境质量目标。总量控制首先通过限定环境容量的使用上限,明确环境容量的稀缺性,使容量资源成为经济物品;其次,通过总量控制明确企业对容量资源的使用权。

为了实施总量控制,政府首先将允许排放的污染物总量以排污权的形式分配给污染者,实现环境容量资源的初始分配。实施总量控制可以有两种基本方式:①通过强制手段,要求企业必须根据初始分配获得的排污权来排放污染物。这时环境容量资源的初始分配也就是最终配置,但是这种分配不可能是最优的资源配置方式,会导致环境资源使用的低效率;②初始分配后允许企业交易排污权,在确保环境质量目标的前提下,通过市场交易实现环境容量资源的重新配置。前一种方式是典型的命令控制手段,而排污权交易则是基于市场的手段,是更有效地实施总量控制的手段。

排污权交易的主要思想是在满足环境质量要求的条件下,明晰污染者的环境容量资源使用权(排污权),允许污染者在市场上像交易商品一样交易排污权,实现环境容量资源的优化配置。只要污染者间存在边际治理成本差异,排污权交易就可能使交易双方都受益:治理成本低的企业少排放,剩余的排污权可用于出售;治理成本高的企业通过购买排污权而多排放。当企业间治理最后一个单位的污染物的边际成本相等时,交易就会停止。通过市场交易,排污权从治理成本低的污染者流向治理成本高的污染者。结果是社会以最低成本实现污染物减少排放,环境容量资源实现高效率的配置。

(二)排污权交易的微观经济学解释

假设每个污染者都有一定的排污初始权 w_i^0,那么所有污染者初始权的总和在数量上必定等于可允许排污总量 W^0,即 $\sum w_i^0 = W^0$。设第 i 个企业未进行任何污染治理时的排污量为 w_i(也被称为未治理排污量),选择的治理水平为 r_i,根据企业追求费用最小化的原则,可建立该污染源决策的目标函数为:

$$\min(TC_i) = \min\{C_i(r_i) + P \cdot (w_i - r_i - w_i^0)\} \quad (8-13)$$

这里 P 是企业要得到一个排污权愿意支付的价格,或是以这个价格将排污权出售给其他企业;$C_i(r_i)$ 为 i 企业治理污染的成本函数;TC_i 为 i 企业的治污与排污总费用。令 $dTC_i/dr_i = 0$,得到第 i 个企业的目标函数的解为:

$$\frac{dC_i(r_i)}{dr_i} - P = 0 \qquad (8\text{-}14)$$

从上述公式看出,只有当排污权的市场价格与企业的边际治理成本相等时,企业的费用才会最小。在企业自身利益驱动下,排污权交易市场必将自动地产生这样的排污权价格,该价格等于企业的边际治理费用。最终结果必然是污染者通过调节污染治理水平,达到所有企业的边际治理费用都相等,并且等于排污权的市场价格。从而满足有效控制污染的边际条件,以最低治理费用保证了环境质量目标。

事实上,排污权交易可以实现有效控制污染,提高分配的费用效果,这是非常容易理解的。通常情况下企业控制污染的费用差别很大,如果排污权可以有偿转让,那些治理污染费用最低的企业,就愿意通过治理,大幅度地减少排污量,然后通过卖出多余部分而受益。只要对某些企业来说,安装治理设备比购买排污权花钱更多,就肯定存在排污权的买方。只要治理责任费用效果的分配没有达到最佳程度,交易机会总是存在。当所有的机会都得到可充分利用,分配的费用效果就达到了最佳程度,同时环境质量也得到保护。

(三)排污权交易的主要特点

排污权交易是一种基于市场的环境经济手段。同排污收费相比,排污权交易更充分地发挥了市场机制的配置资源的作用。排污权交易主要特点有:①通过排污权交易,使全社会总的污染治理成本最小化;②有了排污权交易后,政府管理机构可以通过发放或购买排污权来影响排污权价格,从而控制环境标准,有利于宏观调控;③通过排污权交易,既能保证环境质量水平,又使新、改、扩建企业有可能通过购买排污权得到发展,有助于形成污染水平较低而生产水平较高企业发展的合理工业布局;④排污权交易不需要像排污收费那样先确定排污标准和相应的最优排污费率,而只需确定排污权数量并找到发放排污权的一套机制,然后让市场去确定排污权的价格,更具有市场灵活性。

(四)培育水污染排放权交易市场

总体上来讲排污权交易是一项污染控制较好的制度设计,它充分利用了市场的价格机制,克服了排污收费的一些缺陷,如信息问题。它存在的一些问题是可以随着我国市场经济制度的日渐成熟和技术水平的日益提高得到解决,因而是很有前途、值得推广的污染控制手段。排污收费在世界各国实行多年,积累了许多经验,又得到了许多教训,对于像温室气体排放、空气 SO_2 及粉尘污染、大气臭氧层空洞等这样涉及面很广的污染问题的解决仍然是有效的,可以进一步推广,但是对于水污染局部性、地区性的问题,由于无法建立全国性统一的收费标准,实行起来要困难得多,应逐步以排污权交易代替之。

培育水污染排放权交易市场首先要解决的是水污染排放权的初始分配。地方环境管理部门可以依据当地水环境容量,制定排污权的发放数量,依据企业生产规模将排污权分配给排污企业。分配的排污权在市场机制的作用下,实现在企业间的重新配置。水污染排放权交易既可以通过控制排污权的发放量来达到保护水环境的目的,又实现了水环境容量资源的优化配置。

尽管市场对资源的配置作用相当明显,但是,发挥市场的作用需要有政府宏观政策的引导和法律法规的认可,也就是说市场秩序是由国家来维持。为有效实施水污染排放权交易制度,可以通过在允许的分配排污总量范围内,进行积极的污水治理、采用清洁生产技术而将空余下来的排污权进行转让,对鼓励污染治理、采用清洁生产技术有积极作用。

三、两种补偿形式的评价

征收排污费与实行排污权交易这两种补偿形式既有特性,也有共性。

它们的共性在于对减少污染排放的激励作用。征收排污费与实行排污权交易都可以促使污染者尽可能地通过调整生产、购买安装污水处理设备,达到减少污染排放,降低对周围水环境的污染的目的。这是它们实施的共同目标,并以此恢复或保护水环境的自净功能,促进水体功能恢复。

就特性而言,无论是征收排污费还是污染税都是对排污者使用水资源的另外一种使用价值所收取的费用,即使用水环境资源价值收取的费用,这种费用具有使用水环境的租金性质。依据排污收费制度的目标与功能,征收的排污费也是对治理污染投入与赔偿污染损失的补偿费用。征收的费用通常由政府用于污染的集中治理与补偿等。排污权交易制度则在确定了水环境允许最大污染物排放量的情况下,建立市场配置水环境资源的手段,具有比排污收费形式更大的灵活性。如果政府希望减少污染,那么,可以通过减少污染物排放权发放数量来控制。

排污收费制度与排污权交易制度都是基于市场的环境管理手段,但它们的区别也很明显,排污收费制度是先确定一个价格,然后让市场确定总排放水平;而排污权交易正好相反,即首先确定总排放量,然后再让市场确定价格。市场确定价格的过程就是优化资源配置的过程,也是优化污染治理责任配置的过程。正是基于以上认识,地方政府应当根据当地的实际条件选择适宜的水污染补偿形式。

小　结

采取适当的手段对水资源利用引起的环境成本进行合理的补偿,有效抑制危害水资源的行为,促进水体功能恢复是本章研究的重点。

针对开发利用水资源活动所引发的环境成本,本章将其定义为:用户开发利用水资源对他人或生态环境造成的影响与损失,包括:①在水资源稀缺状况下,水资源利用造成天然水资源量减少对环境的影响;②水资源开发利用活动导致的河道断流萎缩、地下水位下降以及水生态功能降低;③污水排出用户范围后对他人或公共水环境造成的污染损失等。

在市场机制作用下,上述由于取水或排污造成的环境损失并不由取水者或排污者承担,受损者也并未得到应有的补偿,取水或排污引起了环境外部性。这种外部性因为是一种损失,也称为环境外部成本。外部成本的存在造成资源配置的低效率和日益严重的环境问题。

解决环境外部成本的有效方法是使外部成本内部化。本书探讨了两种外部成本内部化的方法:①来自于政府的直接管制,限制污染排放,如征收排污费;②采用环境经济手段改变生产行为,降低污染排放,如实施排污权交易制度。

从微观角度考虑,无论是执行排污收费制度,还是实施排污权交易制度,都可以利用市场机制的作用来激励用水生产者改变生产工艺、引进先进环保技术,降低污染治理成本,促进企业减排增效,达到恢复水环境自净功能的目的。

本章还对提出的水污染补偿的主要形式,排污收费(水污染税)征收制度及排污权交易制度等进行了较详细的分析研究。在分析了排污收费的主要目标与功能的基础上,依据这些目标与功能建立了不同方式补偿标准的确定模型;根据排水污染问题的特殊性,提出了尝试采用排污权交易制度来保障水环境的前景。文中对排污权交易及其特征进行了比较详细的分析论述,但深入的探讨还有待继续研究。

实施水环境有偿使用或水污染损失补偿对控制水环境污染引起的水环境质量恶化、水资源短缺加剧等有积极的作用,能有效促进水资源的恢复。具体来说,污染费(税)制度的建立对排污者来讲,具有极大的刺激作用,主要体现在通过政府的直接管制,企业调整生产、提高污染控制技术、改善生产工艺等,起到减少污水排放量或降低污染物浓度的效果,对水环境质量的恢复将起到促进作用。排污权交易是在实行污染物总量控制的条件下,合理发放排污权,利用市场配置功能实现排污权所有者之间的交易。并且利用限制排污权发放可以达到促进水资源恢复的目的。因此,无论是政府管理下的排污收费制度,还是市场作用下的排污权交易制度,对水环境的恢复都将起到显著、有效的推动作用。

第九章　水源涵养与保护的经济补偿

在水资源短缺区域,上游水源涵养林生态建设、水源地经济结构调整等措施的实施都能有效促进水资源的涵养与保护,为下游提供质量与数量上有保障的生产生活用水,产生了巨大的外部经济效应,同时增大的水量与改善的水质有利于区域水资源的恢复。然而,水源区要承担水源地生态建设与保护投入以及为此而牺牲的经济发展,受益的却是下游地区。为了水源区社会、经济以及生态环境的良性发展,通过恰当的利益补偿机制对水源区进行补偿是非常必要的。建立水源涵养与保护成本和效益补偿制度是水源涵养与保护工作持续稳定开展的保障,能起到有效促进水资源恢复的目的。

由于水源涵养与保护经济补偿直接涉及部门之间、地区之间的利益,因此备受关注。而作为水资源经济补偿途径的一个方面,本书开展的水源涵养与保护经济补偿研究属探索性研究,具体的实施方式与相关事项还有待进一步深入细致研究。

第一节　水源涵养与保护措施

水源涵养与保护能有效改善水循环条件,改进水资源时空分配,有利于水资源持续利用;能改善水环境质量,对水资源的恢复具有极大的促进作用。实施水源涵养与保护的措施很多,本章重点介绍水源涵养林建设与水源地发展结构调整等主要措施。

一、水源涵养林建设

在自然界中,植被几乎在任何条件下都能起到阻缓水土流失的作用。地表植被的破坏,加快了雨水汇集速度,降低了土地本身涵养水源的能力,减少了浅层地下水资源量,加剧了枯水期的缺水现象。要保证水资源可持续开发利用就必须认识到:水源地土壤在遭受自然力和人为活动的影响后其内部结构被破坏,使土壤保水功能降低甚至丧失,构成土壤侵蚀和水土流失过程;不进行水源涵养林的建设就无法保土养水,更不具有可持续发展的环境。水源涵养林建设是根据水资源的供需矛盾而提出来的。

水源涵养林是水土保持防护林种之一,泛指河川、水库、湖泊的上游集水区内大面积的原有林(包括原始森林和次生林)和人工林。大力植树造林,禁伐天然林,退坡还林,必要时退耕还林,以最快的速度增加森林覆盖面积等行动来加强水源涵养林的建设,对保护水源具有积极的作用。水源涵养林有利于涵养水源、蓄洪防灾、均匀供水、防止污染、保持优质水源、减少泥沙入库或淤积等,能有效地改善水质状况,减轻水、旱灾害,保障经济建设和人民生命财产。建设水源涵养林对水资源的利用,发展灌溉、水电、航运、旅游和淡水养殖等都有重要意义(刘运河,1988)。作为以涵养水源为主要目的的水源涵养林也越来越引起人们的重视。

二、水源地发展结构调整

水源地开展的水资源保护工作直接影响下游用水地区的用水安全。一种保护水资源的做法是:水源地通过调整发展方向,限制区域内不利于水源涵养的产业发展,禁止高效益但对水资源保护不利的项目上马,以保证水源的数量和质量向下游其他地区供给。如北京市密云水库周边地区为长期保护水源,保证向北京市提供优质高保证率水源,1985年以来,北京市政府颁布了《北京市密云水库、怀柔水库和京密引水渠水源保护管理暂行办法》等条例和办法,对保护水源起到极其重要的作用;新安江流域上游地区安徽省黄山市多年来为了保护新安江的水源,投入大量的人力、物力与财力致力于水源涵养与生态保护工作,使得黄山市境内过境水量在入浙江省新安江水库断面的水质长期达到Ⅰ~Ⅱ类的标准,有效保障了下游杭州地区的用水安全。

但是,保护水源的同时也产生了许多负效应。由于水源地往往处于上游地区,通常也是经济相对落后的地区,随着水源地发展结构的调整其经济发展受到了一定限制,导致水源地发展速度远落后于邻近地区,特别是其下游的供水受益区。可以说,水源地为下游地区的经济繁荣做出了很大贡献。北京市政府颁发的水源保护办法规定,水库周边一级保护区禁止建设与水利无关的项目,二级保护区内不得进行直接或间接向水体排放污水的项目,这些规定大大限制了密云水库周边地区第二、第三产业的发展,使工业开采量高达3.9亿t(占北京的96%)的铁矿无法开采,使耗资3 000万元兴建起来的国家级游乐场几乎荒废,密云的优势无法发挥,水库周边地区的经济发展受到制约,发展速度远远落后于邻近地区,尤其落后于受水区——北京市区及近郊地区;地处新安江流域上游地区的黄山市,目前城市化率仅为21%,工业化水平也比较低,因而工业和城市废污水排放总量较少,而且农业面源污染程度也相对较低,加之水源区生态保护工作的开展使得进入下游地区水体水质一直保持在Ⅰ~Ⅱ类标准。水源生态保护随之也产生了上游经济社会发展滞后,与下游地区的差距不断拉大的问题。

此外,保护水源的措施还有地下水回灌、水体修复等,这里不作一一阐述。实际上,无论是建设水源涵养林、调整水源地经济发展的结构,还是进行地下水回灌和水体修复,都是为了水源地有安全的水源数量与质量提供给下游用水区。在水资源自身恢复功能遭到破坏而水资源严重短缺的地区,这些保护水源的方式为进行水资源人工恢复发挥了重要的效应,如扩大水源涵养林建设对恢复水循环过程的产流机制有极大的促进作用,增大的水源涵养量有利于促进水源地水资源数量的恢复。调整经济发展结构减少水源地自身的用水需求,降低水资源压力,对恢复水资源也有积极的作用。

第二节　水源涵养与保护的外部性

显而易见,水源涵养林建设产生的效益并非由建设者独自享用,而更多的受益者是未参与林地建设保护与管理的"外部对象",属于公共效益。水源涵养林建设从某种角度讲,具有公共物品的特性。根据经济学有关公共物品性质的解说,由于对其的消费是非排他性或排他费用很高的,受益群体很难明确界定,因此难以实现费用的回收。水源涵养林发挥的效益被社会各方面无偿享用,从而导致涵养林建设所耗费的成本得不到补偿。在市场经济体制下,这种无法保本的经营自然吸引不了更多的资金投入,也就无法保障涵养林的持续建设。

谈到水源涵养林的公共物品性,就不得不提到水源涵养林效益的外部性。外部性理论是解释带有公共效益的生产活动成本的重要理论。水源涵养林建设产生外部经济性,如图 9-1 是上游居民植树造林给下游居民带去的外部经济效果的简单分析图。上游居民植树造林,保护水土,下游居民得到质量和数量有保障的生产和生活用水,这时产生的社会效益大于私人效益,产生外部经济性。

由图 9-1 可见,当存在外部经济性时,边际社会效益 MSB 大于边际私人效益 MPB。两者差额是外部环境效益 MEB。种树人投资植树造林时,其投资行为由 MPB 和边际成本 MC 决定,这时私人植树量 Q_1 小于由 MSB 和 MC 决定的有效植树量 Q。当要求私人植树量达到 Q 时,必须降低植树的成本。因此,如果外部经济性得不到有效补偿,会导致资源的配置失误。

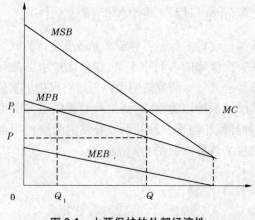

图 9-1　水源保护的外部经济性

第三节　水源涵养与保护经济补偿

　　如上所述,水源涵养林的建设者与管理者投入了大量成本,但是由于水源涵养林效用的消费受益是非排他性的,这部分成本不可能到市场上进行交换,因此体现不出其价值,也收不回投入成本,从而造成资源的无偿使用和经济损失。为了整个流域生态、经济、社会的协调发展,受益地区有义务支援水源地建设,进行造血式的经济补偿,以帮助水源区进行水源涵养林的建设、保护与管理。

　　对水源涵养与保护效益及损失实施经济补偿既可以体现水资源的公平利用,又能以经济杠杆激励水资源保护者进行持续稳定的水资源保护行动,有利于水资源的恢复。这里从水源涵养林建设的效益补偿和水源保护区保护水源造成经济损失补偿两方面探讨水源涵养与保护的经济补偿机制。

一、水源涵养与保护补偿的经济激励作用

水源区通过建设水源涵养林或者是改变生产方式为下游用水受益方提供安全保障的可利用水量,这种保护水源的行为对社会产生了外部经济效益。研究表明可以通过对保护方实施一定的补偿来激励其继续保护水源,以达到给社会提供更多的可利用水量的目的,这种补偿相当于一种补贴。补贴的激励作用也可以从微观经济学角度来解释。如图 9-2 所示。

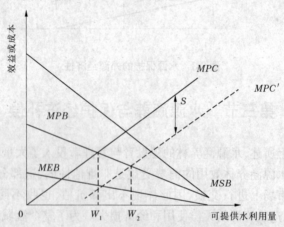

图 9-2　水源保护的激励效果

在图 9-2 中:MPB 为水源涵养保护方因保护水源获得的边际私人效益,MSB 为边际社会效益。由边际效益递减规律,MPB 与 MSB 都随供水量增加而减少,曲线从左上方向右下方延伸,两者的差值就是保护水源的边际外部效益 MEB。

MPC 为保护水源的边际私人成本。当边际私人成本等于边际私人效益时,保护方达到利润最大化。

在未得到补贴前,保护方为使自身利润达到最大化,只进行向社会提供 W_1 可利用水量的保护行动。当给水源涵养保护方 S^*

补贴后,保护方的边际私人成本曲线 MPC 向下平移至 MPC'。这时的保护方要实现其利润的最大化,它将扩大保护范围与力度,为社会提供可利用水量的保护行动,$W_2 > W_1$,激励了保护方的行动积极性,同时也增大了社会效益。

因此,补贴政策对水源保护者来讲具有一定的激励作用。

二、水源涵养效益评价与补偿

对于水源涵养林建设的补偿方法有上限补偿法和下限补偿法。上限补偿法主要是效益补偿,适用于水源涵养林涵养水源、保持水土、保护土壤、净化水质等方面的效益补偿;下限补偿是补偿用于水源涵养林管护费用的成本费用补偿,是维持水源涵养林建设最基本的补偿方法,通常在经济相对落后的地区适宜采用。本书认为,从可持续发展的观点看进行水源涵养林效益补偿将对促进水源涵养林建设具有积极的推动作用,更加有利于水资源的恢复,尤其是在用水受益地区经济日益发展的形势下,采用这种补偿方法是有益的,也是可行的。这里主要分析水源涵养林效益补偿法。

(一)水源涵养林建设效益评价

水源涵养林建设是一项系统生态工程,产生的外部效益是多方面的,既有生态经济效益,又具有社会效益。本书根据涵养林的各项功能分别评价其在各方面的效益,然后综合各方面效益来全面评价水源涵养林的效益。

1. 涵养水源效益 V_{hy}

水源涵养林具有拦截滞蓄天然降水、防止水资源的无效流失、有效蓄积水量的功能。蓄积的水量给下游用水地区带来巨大的社会经济效益。评价其经济效益有多种方式:

(1)根据等效益计量原则,可以把涵养林所涵养的水量换算成水库的储量,以建筑水库的工程造价来定量评价涵养林的水源涵

养效益,即

$$V_{hy} = F \times W \times P \qquad (9\text{-}1)$$

式中:V_{hy}——水源涵养林涵养水源效益,元;

　　W——建设单位水源涵养林前后储水量差值,m^3/m^2;

　　F——建设水源涵养林面积,m^2;

　　P——水库单方库容造价,元/m^3。

例如,据有关部门测算,$1hm^2$林地比裸地至少可多储水$3\,000$ m^3,若规划建设涵养林$10\,000hm^2$,则相当于建设蓄水量为$3\,000$万 m^3的水库。

(2)若考虑涵养林不同树种的涵养水源能力,则可根据森林水文研究成果,按照有林地土壤比无林地土壤多贮水的能力来计算,多贮水量的多少根据土壤非毛管孔隙度计算,可以用公式表示为:

$$V_{hy} = (q_{林} - q_{荒}) \times H \times F \times P \qquad (9\text{-}2)$$

式中:V_{hy}——水源涵养林涵养水源效益,元;

　　$q_{林}$——林地土壤非毛管孔隙度,%;

　　$q_{荒}$——荒地土壤非毛管孔隙度,%;

　　H——土层厚度,m;

　　F——建设水源涵养林面积,m^2;

　　P——水库单方库容造价,元/m^3。

2.保持土壤效益 V_{bu}

当遇到较强的降雨,裸地往往发生土壤冲刷而白白流失。对于水土流失相当严重的水库工程上游流域,若没有水源涵养林,就需要修筑各种拦截保土工程以防止沙土流入水库。水源涵养林的保持土壤效益正体现在其能够阻止土壤的雨水冲刷,有效保护土壤,避免沙土入库造成不必要的损失。对于水源涵养林保持土壤效益的价值可通过减少淤塞所带来的价值进行计量,具体可采用替代成本法计算,即以建设拦截保土工程所需要的经费额来计量。

3. 净化水质效益 V_{jh}

人们能够享用比较清洁的饮用水,上游水源涵养林地与两岸的森林起着极其重要的作用。林地蓄积的水量经过渗透的环节,植被根系能起到过滤的作用,从而净化水质。根据森林净化水质的机理,可以通过测算降雨林地土壤稳定入渗量并参考自来水厂净化水的价格来评价净化水质的效益。

4. 社会效益 V_{sh}

水源涵养林的社会效益体现在林地能够防洪蓄洪、防风阻沙,维护社会的稳定与发展。据国外研究资料表明,森林对洪峰的最大削减量可达 50%。国内研究也提供了类似的证据:林冠、枯枝落叶层和林地可在一次连续降雨中蓄积 70～270mm 的降水,森林可削减风速 80% 以上,同时可降低风的挟沙能力,阻止风沙的前进。对于水源涵养林社会效益的评价具有很大的难度,因其涉及范围广,直接的、间接的受益群也很难明确界定。

此外,水源涵养林还具有维持生态功能等公共效益。在考虑进行效益补偿时,对于蓄洪保土、维持生态及防风阻沙等社会效益,由于受益群体难以明确,因此可考虑由国家、地方政府来承担相应的补偿,而对于涵养水源、净化水质的效益则考虑由用水收益者承担补偿。

(二)水源涵养林效益补偿形式

水资源利用关注的是水源涵养林功能中涵养水源与净化水质效益,对其的补偿可以根据当地及受益区水资源的利用程度来确定。

国家、地方政府的补偿可以通过国家或地方财政预算支出给予水源涵养林建设管理一定补贴,实现涵养林社会效应补偿。外部受益对象对口补偿则可以通过用水价格调整,以水作为载体,使水源涵养林的外部成本内部化来实现。将水源涵养林的投入管理费作为水资源开发利用成本,纳入水价成本当中一起核算,这是一种有效的经济补偿形式。

外部受益对象对口补偿标准一方面要考虑受益补偿的原则，另一方面要注重公平与效率原则。受益地区根据经济水平合理负担补偿，地区经济水平不同，其实际支付能力也有差别，本章对此进行了探索性研究。

通常，人均国内生产总值是衡量地区经济发展水平最为直接有效的参数，同时可以间接反映地区人们用水的支付能力。人均国内生产总值高的地区，经济发展水平高，当地人们的收入也处于比较高的水平，对于用水的支付能力也相应较高。因此，本章提出采用地区人均国内生产总值来确定各地相应的补偿系数。具体做法为：假设水源涵养保护受益地区有 n 个，其国内生产总值分别为 gdp_i，人口为 $p_i(i=1,2,\cdots,n)$，各地区人均国内生产总值占受益全区人均生产总值比例 α_i 可用下式表示：

$$\alpha_i = \frac{\dfrac{gdp_i}{p_i}}{\dfrac{\sum gdp_i}{\sum p_i}} = \frac{gdp_i \times \sum p_i}{p_i \times \sum gdp_i} \qquad (9-3)$$

式中，$\alpha_i > 1$ 表示地区经济发展水平高于受益区平均水平；$\alpha_i < 1$ 表示地区经济发展水平低于受益区平均水平；$\alpha_i = 1$ 表示地区经济发展水平处于受益区平均水平状况。

这样，地区间的经济发展水平得以定量区别。按照公平效益原则，经济水平低的地区适当承担较低的水源涵养林补偿费用，经济水平高的则承担较多的补偿费用。本章认为各地区补偿费承担比例 β_i 通过各地区人均国内生产总值占受益全区人均生产总值比例系数来确定：

$$\beta_i = \frac{\alpha_i}{\sum \alpha_i} \qquad (9-4)$$

如此，各受益地区对于外部受益对象应承担的水源涵养林效

益补偿费用按 β_i 比例分别负担,负担的这部分成本将计入当地水资源开发成本,统一核算补偿标准。

三、水源保护经济损失评价及补偿

为了达到水源区建设与保护目的,必要时采取调整水源地发展方向,限制区域内产业发展,禁止高效益但对水资源保护不利的项目上马等措施,因此在一定程度上会制约当地经济发展和人民生活水平的提高。

本书认为,对于水源区的经济补偿应以可持续发展观念为指导思想,地区经济发展不能牺牲其他地区的经济利益,应当体现地区间相对平衡发展。所以供水受益区应对水源区给予适当的经济补偿。

(一)补偿成本计算方法的基本思路

水源保护经济损失补偿成本计算可采用以下两种思路:

(1)选取与水源区自然条件相近但未受涵养水源影响经济发展的地区,作为参照对象,比较两者之间的经济差异。近似地将两者之间的差异作为评价水源保护经济损失补偿成本的基础依据:

$$C = \frac{(gdp_{无} - gdp_{限}) \times \alpha \times N_{限}}{W} \tag{9-5}$$

式中:C——单位水量补偿值;

$gdp_{无}$——无涵养水源限制的相近地区人均国内生产总值;

$gdp_{限}$——涵养水源限制地区人均国内生产总值;

α——补偿系数,即水源保护对区域经济的影响系数;

$N_{限}$——涵养水源限制地人口数;

W——水源地可供水资源利用量。

(2)分析计算水源地与供水受益区之间的经济差异,取两者之间差异值作为评价水源保护经济损失补偿成本的基础依据:

$$C = \frac{(gdp_{受} - gdp_{源}) \times \alpha \times N_{源}}{W} \qquad (9\text{-}6)$$

式中：C——单位水量补偿值；

　　　$gdp_{受}$——受水区人均国内生产总值；

　　　$gdp_{源}$——水源地人均国内生产总值；

　　　α——补偿系数，即水源保护对区域经济的影响系数；

　　　$N_{源}$——水源地人口数；

　　　W——水源地可供水资源利用量。

这里引入一个补偿系数的概念，即水源保护对区域经济的影响系数。两地 GDP 差值乘上此补偿系数就是水资源受益区对水源区的经济补偿值。补偿系数决定水源保护造成的区域经济损失水平，对该补偿系数的选定本章做具体分析。

（二）补偿系数的选定

补偿系数是指水源地进行水源保护对经济的影响或贡献程度。地区经济的发展水平受诸多要素影响，包括地理环境、资源矿产、资金投入、人力投入、人文环境以及国家地区各项政策等要素，地区政策包括一些资源保护政策，如水资源保护相关政策等。这些要素都可以看成是地区经济的函数，用数学公式来表达为：

$$E = F(x_1, x_2, x_3, \cdots, x_n) \qquad (9\text{-}7)$$

经济发展水平 E 可以用地区国内生产总值 gdp 来表示，x_i 表示影响 gdp 大小的各种因素，包括水源区保护水源政策影响因素 x_{wp}，则上式可表示为：

$$gdp = F(x_1, x_2, \cdots, x_{wp}, \cdots, x_n) \qquad (9\text{-}8)$$

水源保护对经济的影响程度是指实施水源保护引起地区经济的边际损失 ML_{wp}，公式表示为：

$$ML_{wp} = \frac{\partial gdp}{\partial x_{wp}} = \frac{\partial F(x_1, x_2, \cdots, x_{wp}, \cdots, x_n)}{\partial x_{wp}} \qquad (9\text{-}9)$$

即

$$\alpha = ML_{wp}$$

　　由于影响地区经济的诸多要素中有部分要素难以定量描述，甚至包括水源保护政策(即使进行全面评价由于保护水源政策的实施而限制发展的经济损失，其成本也是异常高的)，因此理论上确定水源保护影响经济的程度具有相当大的难度。

　　实际上，由于水源地保护而限制当地经济发展，影响最直接的是当地的财政收入和居民工资报酬。虽然对水源保护地施加一定限制导致其经济发展严重影响还有若干中间因素和环节，但地方财政收入损失受这些中间因素和环节影响较小，是施加水源地限制影响直接的部分。因此，本章认为，水资源受益区应当对水源区受影响最直接的地方财政收入损失做出补偿。补偿系数可由如下公式选定：

$$\alpha = \frac{FR_源}{gdp_源} \times 100\% \qquad (9\text{-}10)$$

式中：α——补偿系数；

　　　$gdp_源$——水源地国内生产总值；

　　　$FR_源$——水源地财政收入。

　　在地区经济影响因素的信息不完备的情况下，采用上述方法能比较近似地评价水源保护引起的水源地经济损失。

　　根据上述补偿成本确定的思路与方法，考虑地区实际状况，核算相应补偿标准。至于补偿费的征收，可以通过将补偿费计入受益区用水水价中随水费的征收由水行政主管部门代为收取，并上缴当地财政。地方政府依据一定的程序补偿给水源保护区，促使水源保护工作的持续稳定。

　　在水资源日益短缺的今天，保护水源是进行水资源恢复的前提与基础。由水源受益区对水源保护区经济损失实施补偿，既体现公平的原则，同时又可以促进补偿双方共同保护水源。

第四节　水源涵养与保护补偿的监督保障机制

水源涵养与保护补偿可以通过补贴政策激励水源保护者继续或加强保护行动。水源涵养与保护具有公共物品性质，补偿行动需要政府的宏观干预，建立严格的监督执行机制，保证补偿工作的顺利开展。本书提出在以下几方面建立水源涵养与保护补偿监督机制。

(1)水源保护效益与损失监督和监测机制。由各级政府部门组织建立有权威性，并能代国家行使监督权的监督管理体系，监督水源涵养林保护行政执法和水源涵养林建设的行为；建立水源保护效益与损失监测机构，监测保护效益与损失的变化和评估；水利、林业等部门要加强协作达成共识，形成强有力的监督力量。

(2)补偿费使用监督机制。建立专户储存，专款专用制度。水源保护部门提出计划，财政、审计等部门按程序监督，以保证补偿费及时落实到水源保护部门，用于保护工作的再进行，保障水源涵养与保护行动的稳定开展，促进水源涵养和保护发挥最大的生态和社会效益。

(3)保护区与受益区之间的协调机制。水源涵养林建设与调整经济结构保护水源都属社会公益事业，因此，保护区与受益区各级政府要充分发挥协调能动作用，运用行政的、经济的、法律的调控手段，保障水源涵养与保护目标的实现。涉及政策由政府制定颁布实施，涉及法规由人大按议政程序制定实施。

小　　结

水源涵养与保护能有效改进水循环条件，增大水资源可利用量，改善水体质量，对水资源的恢复具有极大的促进作用。通过本章的分析发现,无论是上游水源涵养林建设,还是水源地实行经济结构调整等保护水源的措施,从其发挥的作用来看,均产生了巨大的外部经济性。分析还表明,如果外部经济性得不到有效补偿,会导致资源的配置失误。

针对水源涵养与保护产生的积极效应,本章提出通过对保护方实施一定的补偿来激励其继续保护水源,给社会提供质量和数量有上保障的生产和生活用水。这种补偿相当于一种补贴。文中对补贴的激励作用从微观经济学角度进行了解释,论证了实行补偿政策有利于激励保护方的行动积极性,增大社会效益。

在多项水源涵养与保护行动中,本书选择了水源涵养林建设效益补偿与水源地保护水源损失补偿进行详细分析,主要取得的成果为:

(1)对于水源涵养林建设效益补偿,首先建立了水源涵养林效益评价模型,明确了对于蓄洪保土、维持生态及防风阻沙等社会效益,由国家、地方政府来承担相应的补偿,而对于涵养水源、净化水质的效益则考虑由用水受益者承担补偿的原则。接着,考虑了受益地区经济水平合理负担补偿费用的原则,建立了各受益地区应承担补偿费用的补偿比例系数。强调从可持续发展的观点看进行水源涵养林效益补偿对促进水源涵养林建设具有积极的推动作用,有利于水资源的恢复。

(2)对于水源保护经济损失补偿,首先建立了水源保护造成的区域经济损失评价基本思路及计算模型,确定了损失补偿标准的计算方法。其间进行了较为详细的水源保护对区域经济的影响系数(补偿系数)的讨论,从理论与实际操作两方面给出了补偿系数的确定方式。

(3)提出了建立水源涵养与保护补偿的监督机制,主要包括:①水源保护效益与损失监督和监测机制;②补偿费使用监督机制;③保护区与受益区之间的协调机制等。

　　综合分析,在水资源日益短缺的今天,保护水源是进行水资源恢复的前提与基础,只有阻止继续的破坏才会有进一步的恢复。进行水源涵养与保护,有效改进水循环条件,增大水资源可利用量,改善水体质量,有利于促进水资源的恢复。研究与实践证明,不能有效地对保护的投入或由此引起的损失进行必要的补偿,将不利于水源涵养与保护的持续与稳定,也将影响水资源恢复工作的顺利开展。水源涵养与保护经济补偿目的旨在有效激励保护工作的持续开展,体现受益补偿的公平原则,激励保护方的积极性,促进水源保护工作持续稳定的开展。

第十章　首都圈水资源恢复
经济补偿研究实例

通过以上章节的分析讨论,初步确立了水资源补偿的经济理论基础,系统建立了水资源价值补偿、竞争性用水补偿、水环境成本补偿以及水源保护补偿等有关水资源恢复的补偿机制。本章在前述理论与方法的基础上,以首都圈合理调用水量经济补偿为实例展现水资源恢复的补偿机制研究方法。该研究实例是作者参与科学技术部社会公益专项资金项目"首都圈水资源保障研究",对首都圈周边地区水资源合理调用经济补偿机制研究工作的部分内容,属首都圈水资源可持续利用规划的前期研究工作。目的在于通过研究实例尝试证实本书有关理论与方法的现实性与可操作性。

第一节　首都圈范围及概况

一、首都圈范围

一般概念上认为,首都圈实际上是一个都市圈。是以首都为中心,可以为全国提供政治功能服务的特殊的都市圈,是以人流、物流、信息流、经济流为划分标准,从城市规模、科技水平等方面考虑的。首都圈具有两个明显区别于其他都市圈的特征:①以首都为中心城市,具有强大的政治服务功能;②在首都圈内首都邻近地区密布着许多国家机关和政治机构。

本章的总体目标是建立首都圈地区水资源安全保障体系,更关注的是以水资源为纽带的首都与周边地区的政治、经济、文化等关系。与一般意义上首都圈所涵盖的范围有所不同,本书将首都圈界定在北京、天津两个直辖市。

二、自然地理概况

首都圈位于东经 115°20′～118°03′、北纬 38°33′～41°05′之间,在华北大平原的西北部。其行政区划包括:北京、天津两个直辖市,北京市面积为16 800km²,其中西部、北部和东北部是山区,面积为 10 400km²,约占总面积的 62%;东南郊是平原,面积为6 400km²,约占总面积的 38%。天津市面积为11 305km²。

位于华北地区的首都圈,受大气环流影响属于温带大陆性季风气候,冬季受蒙古高压影响,盛行偏北风,天气晴朗而少雨;夏季处于大陆热低压范围内,盛行太平洋的东南气流和印度洋的西南气流而多阴雨天气。年内温差大,四季分明,春季干旱多风,夏季炎热多雨,秋季凉爽晴朗,冬季寒冷干燥。以北京气象台资料为准,全年平均气温 11～12℃;极端最高气温 42.6℃(1942 年 6 月 5日);极端最低气温 -27.4℃(1966 年 2 月 22 日)。山前迎风坡多年平均降水量在 700mm 以上,为高值区;南部平原和背山区递减为 600～450mm,全市多年平均降水量在 590mm 左右。降水量集中在汛期 6～9 月,约占全年降水量的 80% 以上。全市多年平均蒸发量为1 000～1 300mm。

三、社会经济概况

首都圈是我国重要的经济核心区之一,也是我国重要的经济发达地区,在全国社会经济中占有十分重要的地位。如表 10-1 所示,全区域 2000 年总人口为 2 383万,其中户籍人口 2 190万,户籍人口中北京1 278万,天津912 万。GDP 和工业总产值分别占全国的 4.6% 和4.04%。该区域位于华北平原,光热条件较好,利于农业和粮食生产。从发展趋势看,2000 年和 1980 年相比较,全区人口累计新增 730 万人,年均新增 36.5 万人。在人口增长的同时,城市化水平日益提高,城市化率到 2000 年已经达到 60.0%,高于全国平均水平一倍多。

表 10-1 首都圈社会经济主要发展指标(1980～2000 年)

	年份	总人口(万人)	城市化率(%)	GDP(亿元)	人均GDP(元)	工业总产值(亿元)	有效灌溉面积(万亩)
首都圈	1980 年	1 653	—	—	—	—	1 014
	2000 年	2 383	60.0	4 118	17 281	5 882	10 134
全国	1980 年	98 705	19.3	4 518	458	7 200	73 063
	2000 年	126 583	28.0	89 404	7 078	145 572	81 010
占全国(%)	1980 年	1.67	—	—	—	—	1.39
	2000 年	2.00	214.29	4.60	244.15	4.04	12.50

第二节 首都圈水资源条件及态势

一、水资源条件

首都圈地区水资源量包括地表水资源量、地下水资源量及外围入境水量。水资源评价结果,首都圈地区水资源总量为 51.60 亿 m^3,其中北京市为 37.68 亿 m^3、天津市为 13.93 亿 m^3。人均水资源量为 230m^3,是全国的 1/10,世界的 1/40,远远低于国际公认的人均 1 000m^3 的缺水下限。水资源短缺,已成为影响和制约首都圈地区社会和经济发展的重要因素。

首都圈地区内分布有蓟运河、潮白河、北运河、永定河、大清河五大河系,除北运河发源于北京外,其他四河系均发源于河北、山西和内蒙古。五条水系皆属海河流域,且经天津市汇入海河。

二、水资源态势

最近十几年,随着首都圈及上游地区气候变化与经济快速发展等因素影响,使得首都圈地区水资源面临严峻的危机,如地表入库流量锐减、地下水过度超采、水环境日益恶化等,严重影响了首都圈地区社会经济发展的用水安全。

(一)地表入库流量锐减

近年,由于官厅水库上游经济发展,用水量急剧增加,流域内修建了大小 200 余座水库,使得多年平均入库水量由 20 世纪 50 年代的 19 亿 m^3 锐减到 90 年代的 4 亿 m^3。密云水库入水量也由 20 世纪 70 年代的 12 亿 m^3 下降到 90 年代的 8 亿 m^3,2000 年两库共计来水仅 2.86 亿 m^3。据现状估计,今后这种趋势短期之内很难逆转,而且还将加剧。

天津市海河流域南系河流一般年份已无入境量,北系河流有入境水量和部分雨洪水尚未控制。整个流域河道来水日益衰减,目前面临着有河皆干、有水皆污的水资源危机。潘家口水库是引滦入津工程的枢纽,近几年,由于上游用水量增加,入境水量逐年减少,加剧了全市水资源短缺的矛盾。2002 年潘家口水库已动用死库容紧急向天津供水。

(二)地下水过度超采

由于地表水来水量减少,这十多年来区域内加大了地下水资源的利用,造成地下水资源开采过量。北京市 20 世纪 90 年代与60 年代初期相比,平原区地下水储量减少了 40 多亿 m^3,部分地区地下水已疏干;天津市南部由于长期超采地下水导致了地面沉降,沉降区范围约7 300km²,形成了市区、塘沽、汉沽和大港及海河下游地区等几个沉降中心。

(三)水环境日益恶化

由于城市污水排放和农田面污染,加之各河水量逐年减少,水体自净能力降低,首都圈区域内各河流水体污染严重,水质恶化。水库上游水源区人类活动加强,经济和社会不断发展,用水量急剧增加,同时污水的排放量不断加大,给生态环境造成巨大压力。山西省的桑干河、南洋河等,都处于北京主要水源地——官厅水库的上游,由于境内水土流失、环境污染和生态破坏严重,每年约有1亿多吨的工业和生活污水未经处理直接排放,最终进入官厅水库,严重影响了水库的水质;引滦水曾是全国大城市中水质最好的水源之一,但随着上游及于桥水库周边地区经济发展、污染源增多,使引滦水质已受到严重威胁。

总体来说,随着首都圈地区经济的快速增长,由于偏于注重满足用水需求,未能慎重而充分地考虑水资源的可支持能力,导致在近年来整体发展中未能同时兼顾到人口、资源、环境的协调一致。天然来水量逐年减少,而用水盲目过快增长,以致超过了环境容量,造成河流长期断流、城市湖泊逐渐萎缩、湿地干涸和土壤化以及地面沉降等一系列的生态环境问题。水质污染不仅加大了首都圈地区水资源供需矛盾,而且加剧了生态环境恶化。

三、首都圈与周边水资源的联系

首都圈地处水资源严重短缺的海河流域。海河流域国土面积占全国的3.3%,人口占全国的10%,国内生产总值约占全国的12%,水资源总量仅占全国的1.5%,人均水资源量为230m³,属于极度缺水地区。首都圈周边地区水资源形势相当严峻,人均水资源量都低于500m³的极度缺水线和150mm的生态缺水线,只有潮白河流域的承德市是周边地区唯一水资源相对较丰富的地区。

由于所处的自然地理位置，首都圈及周边地区是我国水资源严重短缺的重点地区。然而，周边地区的自然条件的改变、生产生活方式的现状又对首都圈水资源供给带来一定影响，主要表现在：①如上所述，上游降水量偏少、水资源利用方式粗放，水资源浪费严重，地区用水量大幅度增加，使得密云、官厅两库上游来水量逐年减少；②水源不仅受到上游来水减少的影响，同时，因上游地区产业技术落后，高污染、高耗水的生产方式，使得工业污染严重、水质逐年恶化，加剧了北京及周边地区水资源供需矛盾；③近几年，周边地区生态环境有恶化的趋向，水土流失严重。土地的沙化加剧了水库的淤积，造成水库库容缩减，降低了水库的蓄存容量。

第三节　首都圈水资源恢复的主要措施

首都圈地区是我国水资源短缺严重的地区之一。近几年，由于气候自然条件变化、水源地上游地区经济发展用水快速增长以及污水排放增大，更加剧了首都圈地区的用水短缺。首都圈社会经济的持续发展需要水资源保障。为此，首都圈及上游地区积极采取有效措施保护与恢复首都圈水资源。采取的主要措施有：①密云、怀柔水库水源地涵养林建设；②首都圈上游水土流失治理；③地下水回灌补给；④城市污水集中治理；⑤提高水资源利用率加大节水；⑥实施雨、洪、海水利用等。《21 世纪初期首都水资源可持续利用规划》中仅规划水源保护工程就将投入 86.72 亿元，包括水源保护、城市水系综合治理及乡村水环境治理。依据水资源规划首都圈及上游水源区包括河北、山西等地区相继开始实施水资源保护项目，仅山西省根据规划保护水资源的行动就将重点完成75 个保护项目。

第四节　首都圈周边地区水资源转让的经济补偿

从水资源发挥效益角度来看,水资源从用水效益低的行业流向用水效益高的行业是水资源价值的合理体现。农业用水向城市和工业用水转让,城市和工业得到发展,水资源效益得到增殖,而农业会因为水资源的转让而失去部分效益。为此,农业可以通过获得工业和城市提供的经济补偿来弥补损失,最终使水资源的效益得到最大体现,用水公平也得到体现,有利于水资源的持续利用。通过水资源使用权有偿转让,出让水资源使用权的一方放弃使用权而换取经济补偿、技术支持、政策优惠。这样,通过充分挖掘流域上下游之间、城乡之间潜在的"水市场",使水资源实现优化配置。

一、建立首都圈水资源使用权补偿机制的必要性

一般而言,水资源所有权、水资源使用权(用益权)、水环境权、社会公益性水资源使用权、水资源行政管理权、水资源经营权、水产品所有权等不同种类的权利组成水权体系。这里主要讨论水资源使用权的转让相关问题。

建立首都圈水资源使用权转让补偿机制的必要性,主要表现在两方面:

(1)首都圈经济的快速发展,对水资源提出不断需求,尤其工业、城市生活的用水需求不断增大。官厅水库停止向河北省供水、密云水库由农业及城市用水转向单一城市供水都是社会发展和用水需求增长的结果。然而,对于一些用水效益比较低的产业,在将水资源使用权转向其他用水效益高的产业之时,前者可能会为此遭受一定程度的经济效益损失,如农业水资源向工业、生活等非农领域转移趋势非常明显,如果没有合理的补偿机制,首都圈农业的

发展将受到影响,进而将影响农业生态环境安全和农产品供给安全。

(2)建立首都圈合理的水资源使用权转让补偿机制,有利于促进节水主体提高节水积极性。根据经济理论,节水主体的目标是追求最大的经济效益,如果节水没有利益所得,便失去节水的动力和源泉。预期利益越大,其积极主动性就越高。所以,为了促进节水型社会的健康发展,节水主体节约下来的水在转移过程中必须得到相应的利益补偿。首都圈农业是用水大户,但也是节水的主体,水资源使用权转让补偿无疑对农业节水是极大的刺激。

通过水资源使用权转让机制,交换双方的利益同时增加。一个地区总用水量通过市场机制得到强有力的约束,使地区内各区域之间、各部门之间用水得到优化。

二、建立首都圈水资源使用权补偿机制的前提

(一)明确首都圈水资源初始权分配

由于水资源使用权转让是一方把自己对水资源的使用权出让给另一方,所以首先必须对首都圈水资源使用权加以界定。使用权的界定是有偿转让、获取收益和保护权利不受侵害的前提。

依据我国《水法》以及关于实行取水许可证发放制度规定,按照所有权与使用权分离的原则,配置首都圈初始水资源使用权。初始水资源使用权的配置就是按照一定的原则分配用于不同地区、不同部门经济目的的水资源的使用权。配置首都圈初始水资源使用权可以理解为通过首都圈水资源总体规划和水资源配置方案,按照一定的分配原则和相应的程序在不同地区、不同部门之间实现水资源的优化配置。依法取得的水资源使用权具有法律保障,其他用户不宜随意挤占。水资源使用权初始分配是进行水资源有偿转让的基础。

(二)建立水资源使用权交易市场

在完成水资源使用权的初始配置后,要进行有效的水资源使用权有偿转让,就需要建立水市场。我国的水市场不是一个完全意义上的市场,而是一个"准市场":它既不同于传统"指令配置",也不同于"完全市场"。因此,我们所谓的水市场或水权市场是一种"准市场",表现在不同地区和部门在进行水权转让谈判时引用市场机制的价格手段,而这样的市场只能是由国务院水行政主管部门或其派出机构来组织。对于首都圈地区与周边地区水资源使用权的转让,如引滦入津工程就是河北省滦河流域的水资源向天津市转让,水市场就由河北省与天津市相关水行政主管部门共同来组织。

(三)科学合理的节水措施

水资源使用权转让是在满足本行业用水之后多余水量的有偿转让,因此水资源使用权转让的前提是具有多余的可供转让的水量。而且,水资源使用权所有者能通过转让获得效益。为此,将刺激水资源使用权所有者实施有效的节水措施,减少水资源耗用量。只有节约的水资源才能用于交换,而有偿交换又可以产生出节水的内在经济动力。对于农业用水,明晰农业水权,允许水权转让的政策,不仅有利于成功地实现公平有效的配水,限制农民无节制的用水,同时又激励了农民的节水积极性,促进了农业节水技术的发展和提高。因此,节水既是水资源使用权交易的前提,也是交易的效果。

(四)有效的监督约束机制

要保证水资源使用权转让的有效性,就必须对有偿交换建立有效的监督机制。交换的双方往往是在各地方政府或者水行政主管部门的组织下进行水资源使用权的转让,他们的主要目标是实现资源的有效配置,农业水资源转让过程中,农民可以用水户协会的形式参与监督,他们是农民自身权益的代表,上级政府或上级水行政主管部门等相关部门则是公共利益(如生态环境)的代表者，他们是对地方政府和地方水行政主管部门强有力的监督者，并在一定程度上可以克服地方政府的短视行为。只有这种交易主体、地方政府和水行政主管部门、上级政府和水行政主管部门三方的共同参与才能保障交易的合理性和公正性。在组织设计上可以考虑成立由上级政府或上级水行政主管部门、农民用水户协会、环保部门等组成监督委员会。

三、水资源使用权转让补偿方式

(一)水价补偿

水利工程将原本供给农业生产的水资源转而供给城市，本着"谁受益，谁负担"的原则，直接受益的城市工业企业、居民生活用水也应该负担相当的转让补偿费用。此时，水利工程供水价格应按有关规定，改变原来农业供水按成本计收水费(目前大部分农业供水水费标准尚低于供水成本)的办法，在转向城市供水后，应根据国家计委、财政部新近发布的有关水价文件精神，按照经营性水价的要求提高水价标准。目前，我国城市居民生活以及工业水价标准普遍较低，还具有较大的调整空间，是一条可行的筹集占用农业水源补偿资金的渠道。由此筹集的补偿资金应专款专用，用于对受损农民的补偿以及农业灌溉水源工程、灌排工程开发项目和灌排技术设备改造等。

(二)水权交易

水资源使用权补偿最好的解决办法是，逐步建立水权市场，通过水权买卖双方自由交换，以市场调节手段合理配置水资源。可以在市场上进行交易的水权是指水资源的使用权，而并非水资源的所有权。水资源的使用权是有偿的，即通过缴纳一定的费用来获取水的使用权。通过水资源使用权的转让和出售，可以使水资源的利用从低效益的经济领域转向高效益的经济领域，提高了水资源的利用效率。比如说从农业灌溉用水转让到工业上去,可以增加产值,获得更大的经济效益。这对社会的进步显然是有利的。实行农业水资源使用权的有偿转让,使农民获得合理的资金补偿,补偿的资金可以用于发展农业高效节水灌溉和加强农业用水管理,做到农业和工业的协调发展。

第五节　首都圈水资源环境成本补偿

从经济学讲,企业排放的污水不仅影响了周围的环境,也影响了其他企业的经济活动,进而影响整个社会的经济。将水污染作为外部性来分析,它能引导人们在研究利用水资源进行经济活动问题时,不仅要注意经济活动本身的运行和效率问题,而且要注意由生产者造成的,但不由市场机制体现的水污染对环境产生的影响。为了抑制出现社会经济的减少,必须增加企业等生产者的私人边际生产成本,以接近或等于社会边际成本。为达到此目的,可以采取向排污者征收水污染补偿费的措施将水污染外部性问题内部化。

中央政府和北京市政府十分重视北京市水资源环境状况,尤其2008年奥运会申办成功,水环境治理成为北京城市建设的重点。国家将投入大量资金保护与恢复京城水体的环境,规划在城区建成15座二级污水处理厂,将北京市目前40%的污水处理率在2008年前达到90%,这样北京市的水环境将得到有效治理。

北京市排水及污染治理成本费用包括控制设施投入成本与运行维护费用。运行维护费用主要包括污水排放和集中处理过程中发生的动力费、材料费、输排维修费、人工工资及福利费和税金等,具体费用见表10-2。

表 10-2　　　　　2001 年北京市城市排水及处理成本费用　（单位:万元）

项目	污水处理厂	管网及泵站所	合计
折旧费	14 850	8 160	23 010
人工费	1 880	798	2 678
材料费	4 251	1 597	5 848
电费	3 868	426	4 294
维护费	2 844	1 084	3 928
大修费	2 231	2 566	4 797
水质改造费	2 500	—	2 500
污泥处置费	671	—	671
管理费	1 790	852	2 642
财务费	1 121		1 121
合计	36 006	15 483	51 489

注:资料来源于 2001 年北京市自来水价格听证会相关资料。

北京市全年污水处理量为 38 325 万 m³。

根据费用分摊法,北京市排污及污水处理厂运行维护建设成本应为:

$$t_r = \frac{PC}{W_b} = \frac{51\ 489}{38\ 325} = 1.343(元/m^3)$$

北京市排污及污水处理成本计算如表 10-3 所示。

表 10-3　　　　　北京市排污及污水处理成本计算

固定资产折旧（万元）	运行管理费（万元）	合计费用（万元）	污水处理量（万 m³）	排污收费标准（元/m³）
14 850	16 864	51 489	38 325	1.343

2004 年 8 月,北京市自来水标准做出新的调整之后,现行污水处理费用征收标准为 0.90 元/m³,远远不能满足成本的需要。正如我国目前面临的水价改革的困难,污染排放与治理费征收标准很难一次或几次达到成本。2008 年北京奥运的承办对北京市环境治理提出非常高的要求,为了促进水体环境治理,污水处理费用征收标准也将实现"小步快走,逐步到位"。

第六节 密云水源地水资源涵养保护的经济补偿

一、密云、怀柔水库上游水源保护林效益补偿

(一)水库上游水源涵养林效益评价

根据水源涵养林效益评价准则及密云、怀柔水库上游水源涵养林的具体情况,对水源涵养林的涵养水源价值、防洪蓄洪价值、保持土壤价值、净化水质价值进行了评价,评价结果见表 10-4。

表 10-4　　　　密云、怀柔水库水源涵养林效益　　(单位:万元)

涵养水源	防洪蓄洪	保持土壤	净化水质	合计
621	31 087	267	14 274.5	46 249.5

由此可知,密云、怀柔水库 44.98 万 hm² 水源保护林发挥的效益,每年仅蓄水、防洪、保土、净水方面效益可创价值为46 249.5万元。

(二)受益者对上游水源保护林效益补偿

密云、怀柔水库水源保护林产生的效益是多方面的,既有经济效益,如蓄水、净化水质等,又具有防洪减灾、保土固沙等重大的社会公共效益。

对于水源涵养林发挥的公共效益,受益群体很难明确界定,如

防洪减灾、保土固沙等效益的受益群体，难以实现该部分水源保护林投入费用的回收。为了保障水源涵养林保护效益的正常持续发挥，由政府来负担补偿水源涵养林的社会公共效益。对于水源涵养林产生的经济效益，受益对象明确。密云、怀柔水库水源涵养林经济效益的受益者为以水库为用水水源的北京市城市居民、工矿企业、机关事业单位等。对于受益对象明确的效益，由受益对象来承担补偿。

1. 水源涵养林社会公共效益补偿

根据对密云、怀柔水库水源涵养林效益价值的评价，水源涵养林在发挥防洪固土等方面的社会公益性效益占评价总效益的比例约为68%。这部分效益由中央及北京市政府共同予以补偿。补偿方式可以采取对密云、怀柔两县进行财政补贴。根据统计，每年密云、怀柔水库向北京市工业及城镇供水约112 000万 m³，相当于政府对每立方米的用水提供 0.280 元的水源涵养林建设保护政策性补偿成本。国家及地方政府对水源涵养林公益性效益的这部分补偿费用列入当年财政预算收支，用于进一步实施水源涵养林保护建设。

2. 水源涵养林经济效益补偿

密云、怀柔水库水源保护林发挥的涵养水源、净化水质的外部经济效益约为14 896万元。水源涵养林的这部分效益由外部受益区用水户承担。由于两水库水源涵养林建设的外部受益区全部为北京市的用户，为单一行政区受益。根据补偿形式，不同行政区受益区经济发展的不平衡，站在国家的角度，应当考虑行政区间的经济差别合理负担补偿费。对于同一行政区内用水户公平承担相应的补偿费用，区内经济不平衡带来的负担不平由地区政府通过各种补贴措施来协调。因此，北京市用水户应当承担起每年14 896万元的密云、怀柔水库水源涵养林受益补偿额，这部分补偿费用应成为供水的成本费用。每年密云、怀柔水库向北京市供112 000万

m^3 水用于工业及城镇生活,相当于每立方米的水价中应包含 0.133 元的水源涵养林建设保护补偿成本。即用水户补偿水源涵养林经济效益以用水量的多少来衡量,补偿标准为 0.133 元/m^3。如表 10-5 所示。

表 10-5   密云、怀柔水库水源涵养林效益补偿成本(单位:元/m^3)

补偿形式	政策补偿成本	经济补偿成本	总补偿成本
补偿标准	0.280	0.133	0.413

中央及北京市政府政策性投资对水源区效益补偿和受益区用水户经济补偿保障水源建设持续进行的资金来源。根据上述结果,即每年水库供水每立方米能获 0.413 元的水源涵养林保护补偿费用。

(三)水源保护林效益补偿费征收管理与使用

水源保护林建设属于对水资源实施的保护措施之一,其投入成本应计入资源成本。补偿费则随水费的征收一道收取。征收的补偿费建立专户储存,专款专用。主要用于水源涵养林的再建设、保护与管理。并组织强有力的监督管理体系,加强水源保护林的建设和保护。

二、密云水库周边地区保护水源经济发展损失补偿

密云水库周边地区长期保护水质,向北京市提供优质高保证率水源,为首都经济的发展做出了极大的贡献。可以说,密云人民为了水库这盆清水付出了巨大的代价。1985 年,北京市政府颁布了《北京市密云水库、怀柔水库和京密引水渠水源保护管理暂行办法》,1986 年颁布了《北京市城市自来水厂地下水资源保护管理办法》。

这些条例和办法,对保护水源是极其重要的,但也产生了许多副作用:办法规定,水库周边一级保护区禁止建设与水利无关的项

目,二级保护区内不得进行直接或间接向水体排放污水的项目。这些规定大大地限制了密云水库周边地区第二、第三产业的发展,使工业开采量高达 3.9 亿 t(占北京的 96%)的铁矿无法开采,使耗资 3 000 万元兴建起来的国家级游乐场几乎荒废,优势无法发挥,水库周边地区的经济发展因此受到制约,发展速度远远落后于邻近地区,尤其落后于受水区——北京市区及近郊地区。本着"保护水源、受益补偿、公平负担"的原则,受益地区理应对此给予经济补偿。下面将着重对密云水库受益区对水库周边地区因保护水源而限制当地经济发展造成经济损失的补偿进行分析。

(一)保护水源限制水库周边地区经济发展

对于水源区的经济补偿应以可持续发展观念为指导思想,地区经济发展不能牺牲其他地区的经济利益,应当体现地区间相对平衡发展。所以,供水受益区应对水源区给予适当的经济补偿。这里选取水源区与供水受益地区经济差异来分析涵养和保护水源而限制水源地经济发展的经济补偿值,即密云水库库区与北京市城区及近郊区经济的差异比较。

1.水库周边地区与北京市城区基本情况

北京市密云县包括县城在内有 19 个乡镇,作为水源地这里只选取库区参加比较。密云水库周边库区是北京市的主要水源地之一。它包括太师屯、北庄、新城子、高岭、古北口、不老屯、冯家峪、番字牌、石城等 9 个乡镇,2001 年底现有总人口 13.2 万人。依据密云县近几年的统计年鉴,对密云水库库区 9 个乡镇的主要社会经济指标进行了分析汇总,列于表 10-6。

根据统计资料,2001 年全北京市有常住人口 1 142.3 万人,按当年价格计算,国内生产总值 2 845.65 亿元,人均国内生产总值 25 354.4 元。密云水库的主要供水对象是北京市城区及近郊区。因此,本项目不选整个北京市,只选北京城区、近郊区作为受水区与密云水库库区进行社会经济比较。北京市城区、近郊区包括东城区、西城区、崇文区、宣武区、朝阳区、丰台区、石景山区、海淀区等 8 个区,2001 年底有总人口 675.2 万人。北京市各区的主要社会经济指标列于表 10-7。

表 10-6　密云水库库区 9 个乡镇各年的主要社会经济指标

年份	常住人口 （万人）	国内生产总值 （亿元）	工业总产值 （亿元）	农业总产值 （亿元）	工农业总产值 （亿元）	社会总产值 （亿元）
1996	13.7	5.19	8.71	3.25	11.97	16.06
1997	13.3	5.29	8.09	3.00	11.09	15.52
1998	13.2	5.87	7.28	3.37	10.65	16.49
1999	12.6	6.16	6.99	2.67	9.67	15.38
2000	13.1	7.30	7.17	1.92	9.09	18.99
2001	13.2	9.91	10.22	3.32	13.54	21.81

表 10-7　北京市城区及近郊区各年的主要社会经济指标

年份	常住人口 （万人）	国内生产总值 （亿元）	工业总产值 （亿元）
1993	613.8	120.3	102.0
1994	622.8	186.2	152.7
1995	630.4	238.7	196.2
1996	637.1	282.2	257.7
1997	644.7	339.1	318.4
1998	650.5	385.1	455.1
1999	652.5	443.7	536.1
2000	670.7	496.3	535.1
2001	675.2	564.2	640.1

2.密云水库库区与北京市城区及近郊区的社会经济情况比较分析

密云水库库区与北京市城区及近郊区常住人口、人均 GDP 指标及人均收入等指标情况列于表 10-8 和表 10-9。可见,近年来北京城区及近郊区因经济及其他条件较好,人口呈增长趋势,北京城区及近郊区的 GDP 明显高于密云水库库区。北京城区及近郊区的人均纯收入是水库库区人均纯收入的 3 倍以上,并且这种差距还在拉大。

对比分析表明,密云水库库区与北京市城区及近郊区的社会经济差距非常明显,导致这种差距的原因比较多,也比较复杂,但其中一个重要原因就是为保证首都清洁的水源地,限制了密云水库库区的工业等经济效益高的行业的发展。

表 10-8　　密云水库库区与北京城区及近郊区 GDP 比较

年份	常住人口（万人）		人均国内生产总值（元/人）				人均纯收入（元/人）			
	北京城区	水库库区	北京城区	水库库区	差值	倍比	北京城区	水库库区	差值	倍比
1996	637.1	13.7	4 429	3 779	650	1.17	6 901	2 128	4 773	3.24
1997	644.7	13.3	5 260	3 968	1 292	1.33	7 989	2 234	5 755	3.58
1998	650.5	13.2	5 920	4 463	1 457	1.33	8 969	2 513	6 456	3.57
1999	652.5	12.6	6 801	4 899	1 902	1.39	10 122	2 758	7 364	3.67
2000	670.7	13.1	7 400	5 860	1 540	1.26				
2001	675.2	13.2	8 357	7 197	1 160	1.16				

3.水源保护影响库区经济损失水平

密云水库库区经济发展落后与其自身所处的地理位置、资源条件、开发观念以及地方政策等多种因素有关。而保护水源只是库区经济影响因素之一,因此,不能将经济的落后都归结于水源保护的影响。

表 10-9　　密云水库库区与北京城区及近郊区人均 GDP 比较

年份	常住人口(万人)		人均 GDP(元/人)			GDP 总额差距(万元)
	北京城区及近郊	水库库区	北京城区及近郊	水库库区	差值	
1996	637.1	13.7	4 429	3 779	650	8 905
1997	644.7	13.3	5 260	3 968	1 292	17 183.6
1998	650.5	13.2	5 920	4 463	1 457	19 232.4
1999	652.5	12.6	6 801	4 899	1 902	23 965.2
2000	670.7	13.1	7 400	5 860	1 540	20 204.8
2001	675.2	13.2	8 357	7 197	1 160	15 358.4
平均	655.1	13.2	6 361	5 028	1 334	17 474.9

水源保护对地区经济的影响程度,可以用一个系数来反映。这个系数也就是第九章提到的水源保护损失补偿系数。根据第九章的研究结果,密云水库库区水源保护损失补偿系数由当地财政收入与 GDP 总额来确定。根据资料分析,密云水库库区水源保护经济影响系数为 9.0%,以此作为水源保护经济损失补偿系数,如表 10-10 所示。

4. 库区经济损失补偿标准确定

根据以上库区经济损失与补偿系数可以近似计算出水库受益区应当承担的库区经济损失。补偿标准可以通过计算单位供水量的经济损失值来确定。供水量根据水库多年平均供给受益区水量来确定。

假设计算得出的水源区经济补偿值为 C_{br},工程多年平均供水量为 W,则供给用水户单位水资源量的补偿值(P_{br})为:

$$P_{br} = \frac{C_{br}}{W}$$

表 10-10　　　　　　　水源保护经济影响系数确定

年份	密云县 GDP 总额 （亿元）	密云县财政收入总额 （亿元）	财政收入占 GDP 比例
2000	35.87	2.08	5.8%
2001	43.34	3.58	8.3%
2002	56.6	7.33	13.0%
平均	45.27	4.33	9.0%

　　为使密云水库库区经济能够达到受益区经济的平均水平,考虑水资源保护对经济的影响,受益区每年仅应承担库区经济损失约 1 700 万元,密云水库每年向北京市供水约 8 亿 m³,因此,受益区需承担 0.02 元/m³ 的补偿值。如表 10-11 所示。

表 10-11　　　　　　水源保护影响库区经济损失水平

年份	水库库区 （万人） ①	人均 GDP 差值 （元/人） ②	GDP 总额差距 （万元） ③	损失水平 （万元） ④	补偿标准 （元/m³） ⑤
1996	13.7	650	8 905	854.88	0.01
1997	13.3	1 292	17 183.6	1 649.63	0.02
1998	13.2	1 457	19 232.4	1 846.31	0.02
1999	12.6	1 902	23 965.2	2 300.66	0.03
2000	13.1	1 540	20 204.8	1 939.66	0.02
2001	13.2	1 160	15 358.4	1 474.41	0.02
平均	13.2	1 334	17 474.9	1 677.59	0.02

注:③ = ② · ①,④ = ③ · 9.0%,⑤ = ④ /80 000。

目前北京市对水源区的经济补偿主要有两部分:①直接在用水户的水价中含有补偿水源区的价格,按此价格和相应的用水量收取水费用来补偿水源区。自 1996 年以来,北京市政府就规定并实行了此补偿价格,即工业用水和生活用水收 0.02 元/m³,农业用水和公园用水收 0.01 元/m³。采用地下水的不收这部分水费,地表水用户用做冷却水(主要是火电厂等)的按实际消耗水量计算。这部分水费是在全北京市收取,原则上按水源地供水比例分配,补偿密云水库、官厅水库和怀柔水库库区。官厅水库的补偿范围除了北京市辖区内的库区外,还包括河北省怀来县境内的库区。②北京市政府对水源地的各种政策性投资。目前给密云水库、官厅水库和怀柔水库水源保护区的总补偿额度为 1.5 亿元/年,其中补偿密云水库水源保护区 0.375 亿元。

就目前情况看,我国大部分水源区的社会经济都落后于下游地区。造成水源地经济落后的原因除以上所述以外,还有许多其他原因,如地理位置、投资环境、思想观念等。至今对于为涵养和保护水源而限制水源区经济发展的经济补偿办法还没有比较成熟的理论方法,并且缺乏相应的法律法规依据,本书的研究也是处于探索阶段。

第七节　京津首都圈水资源费征收与管理

一、首都圈地区现行水资源费征收制度

首都圈地区是我国最早实施水资源费征收的地区之一。20世纪 80 年代起首都圈北京、天津等地就相继颁发了相关文件,制定了征收水资源费的政策。随后又多次对水资源费征收标准与范围进行了调整与补充。目前天津市征收地下水资源费标准根据取用水的行业不同,在 0.096 8~0.12 元/m³ 之间收取。北京市最早

于 1981 年 4 月 1 日开始征收地下水资源费,经历了多次调整,尤其是 90 年代以来调整次数频繁,仅自 1996 年至今,北京市物价局就先后 8 次调整了地下水资源费的收费标准。如表 10-12 所示。

表 10-12　　　　　北京市地下水水资源费标准沿革　　（单位:元/m³）

1981.4.1～ 1991.12.6	1991.12.7～ 1996.4.1	1996.4.2～ 1997.11.30	1997.12.1～ 1998.8.31	1998.9.1～ 1999.10.31
0.02	0.10	0.16	0.20	0.30
1999.11.1～ 2000.10.31	2000.11.1～ 2002.1.31	2002.2.1～ 2003.1	2003.1～ 2004.8	2004.8～ 至今
0.40	0.80	1.20	1.50	2.00

　　目前,国家及多数地方政府还只是明确了对地下水资源的使用收取水资源费。由于受到各种条件的限制和地表水利用的复杂性,各地普遍未对地表水使用收取水资源费。即使已征收的地下水水资源费,也未能按照资源的实际价值来制定征收标准,地下水水资源费征收标准普遍偏低。

二、首都圈地区天然水资源价值测定

　　目前我国水资源价值补偿严重不足,因此,逐步提高水资源费征收标准,规范水资源费的征收管理,合理有效补偿水资源价值,是实现水资源可持续利用的必要途径。首都圈各地区应进行科学的水资源价值测算,合理确定水资源费征收标准,实行分步骤、分阶段逐步达到征收标准来实现水资源价值的有效补偿。这是促进首都圈地区的社会、经济、资源的协调可持续发展的必要举措。

　　经分析比较,本书采用第六章介绍的支付意愿法来评价首都圈水资源的价值,并以此作为水资源价格的近似估算值。支付意愿方法的运用与地区经济发展水平关系密切。考虑到首都圈不同行政区经济发展水平和用水户的承受能力差异,本章将首都圈地区划分北京市和天津市两个行政区,先分别测算各自行政区内水资源价值,再综合确定首都圈地区水资源价值。

(一)北京市水资源价值确定

据《北京统计年鉴 2001》显示,北京市 2000 年城镇居民家庭平均每人每年可支配收入为 10 349.7 元,人均年生活用水总量约 39m³,家庭收入的 1.5% 作为生活用水的支付意愿。利用这些资料信息,根据公式(6-5)计算可得北京市用水消费者的支付意愿为 3.98 元/m³。

北京市城市供水系统边际成本根据全国《2001 年城市供水统计年鉴》中发布的 2000 年各大城市供水系统统计资料获得。北京市城市供水系统边际成本为 1.66 元/m³。

北京市原水系统包括水源地和输配水系统。北京市地表水原水供水系统可以概括为"四库两渠",即密云水库、官厅水库、怀柔水库和白河堡水库四库,京密引水渠和永定河引水渠两渠。根据《21 世纪初期(2001～2005)首都水资源可持续利用规划资料汇编》显示北京市地表水供水工程建设 2000 年工程总投资原值为 56.04 亿元,供水分摊投资为 38.25 亿元,形成固定资产 32.50 亿元,运行管理费为 2.0 亿元,流动资产按照运行管理费用的 1.5 倍估算,为 3.0 亿元,社会折现率取 0.12,则计算所得地表水原水供给工程边际成本为 0.90 元/m³。如表 10-13 所示。

表 10-13　　　　北京市地表水资源价值计算　　　　(单位:元/m³)

项目	支付意愿	城市供水边际成本	原水工程边际成本	水资源价值
计算值	3.98	1.66	0.90	1.42

由此,计算北京市地表水资源价值约为 1.42 元/m³。北京地区 2000 年总用水量 38.93 亿 m³。

水资源费标准的制定一方面要体现水资源的价值,同时也要考虑国家、地区政策及社会经济发展水平等多种因素。实际制定时,可以在上述水资源价值的基础上酌情考虑各种因素来合理确定。

(二)天津市水资源价值确定

据《天津统计年鉴 2001》显示,天津市 2000 年城镇居民家庭平均每人每年可支配收入为 8 140.55 元,人均年生活用水总量约 45m³ 左右,以家庭收入的 1.5% 作为生活用水的支付意愿。根据公式(6-5)计算可得天津市用水消费者的支付意愿为 2.71 元/m³。

天津市城市供水系统边际成本根据全国《2001 年城市供水统计年鉴》中发布的 2000 年各大城市供水系统统计资料获得。天津市城市供水系统边际成本为 1.21 元/m³。

天津市用水主要是通过引滦入津工程跨流域引水、输水、蓄水、净水和配水等综合性水资源开发利用向天津市供水的系统。由于输水距离长,其工程规模一般都很大,除水源工程建设外,还包括引水隧洞、黎河整治、于桥水库大坝加固、州河整修、专用明渠、尔王庄水库、暗渠暗涵、新开河水厂、通讯电力等配套工程,工程建设供水分摊总投资 180 201.2 万元,形成固定资产 153 171 万元,运行管理费为 5 254.4 万元,流动资产按照运行管理费用的1.5 倍估算,为 7 881.6 万元,社会折现率取 0.12,工程供水量12.69 亿 m³,则计算所得地表水原水供给工程边际成本为 0.23 元/m³。如表 10-14 所示。

表 10-14　　　　　天津市地表水资源价值计算　　　(单位:元/m³)

项目	支付意愿	城市供水边际成本	原水工程边际成本	水资源价值
计算值	2.71	1.21	0.23	1.27

由此,计算天津市地表水资源价值为 1.27 元/m³。天津地区

2000 年总用水量 19.14 亿 m^3。

(三)首都圈水资源价值确定

首都圈地区的水资源价值通过考虑各行政区水资源价值量的不同进行综合估算。具体采用年总用水量加权计算。计算结果见表 10-15。

表 10-15　　　　　　　首都圈地表水资源价值

北京市水资源价值 （元/m^3）	北京总用水量 （亿 m^3）	天津市水资源价值 （元/m^3）	天津总用水量 （亿 m^3）	首都圈水资源价值 （元/m^3）
1.42	38.93	1.27	19.14	1.37

根据计算结果,首都圈地区地表水资源价值约为 1.37 元/m^3,即为首都圈地区地表水资源的价值。由于价格是价值的表现形式,因此,首都圈地区水资源价格近似认为是 1.37 元/m^3。首都圈水资源有偿使用应该充分体现水资源价值的合理补偿,抑制水资源价值流失的行为,保障资源的持续利用。

三、建立首都圈水资源有偿使用制度

(一)科学制定水资源费征收标准

对于水资源条件相近的首都圈各地区,水资源费标准的制定考虑"不同经济发展水平"、"不同水资源类别"、"不同用水行业"等原则,参照支付意愿方法计算的地表水资源价值,分地区、分水源等进行相应水资源费标准的确定,通常是经济发达地区水资源费高于经济相对落后的地区,地下水资源费高于地表水资源费,城市工业用水高于农业灌溉用水。各地水资源费标准的制定也实行"分阶段、分步骤"的策略进行,争取"小步快走,逐步到位",实现资源价值的足额补偿。

(二)完善水资源费征收管理制度

目前一方面要加大水资源费的征收力度,另一方面首都圈各地区要尽快完善《水资源费征收管理办法》,进一步规范水资源费的征收和管理,尤其是要进一步规范地表水资源费的征收管理。针对农业用水浪费和盲目开采地下水的现实,国家应择机对农业用水恢复征收水资源费。

小 结

本章通过分析首都圈地区水资源现状,揭示了首都圈地区存在的水资源开发利用问题。明确了首都圈水资源有偿使用、水污染现状,调查了上游及周边地区开展的大量的水源保护工作,包括为保首都"一盆清水"水源地牺牲的本地经济发展代价。从保障首都圈水资源的持续利用,促进地区水资源的恢复。体现公平、效益原则的角度出发,应用前述有关水资源恢复的补偿理论对首都圈内受益区地区对做出贡献的地区给予的合理补偿进行的实例研究,建立了首都水资源恢复的补偿机制,如表 10-16 所示。以保障首都圈水资源的可持续开发与利用,促进首都圈地区水资源的恢复。通过首都圈周边地区合理调用水量经济补偿案例分析表明,本书提出的水资源补偿分析理论和方法具有广大的现实意义,在水资源严重短缺与水体恶化趋势的区域,具有采用的必要性与有效性。

表 10-16　首都圈水资源恢复的补偿机制

序号	补偿目标	补偿的恢复途径	补偿主体	补偿对象	补偿形式	补偿体制
①	首都圈水资源价值补偿	促进首都圈水资源合理开发利用	一切取用水资源的企业、个人	水资源所有者——国家	水资源费(税)	恢复补偿的法律保障:《水法》、《中华人民共和国水污染防治法》依据:《水利产业政策》、《北京市密云水库、怀柔水库和京密引水渠水源保护管理暂行办法》、《北京市城市自来水厂地下水资源管理办法》、《占用农业灌溉水源渠、灌排工程设施补偿办法》
②	首都圈上游水源保护效益补偿	保障上游水源保护工作持续稳定开展	下游用水受益方	水源保护设施建设者	效益补偿费	
③	密云水库区保护水源经济损失补偿	保障库区水源保护工作持续稳定开展	水库供水受益方	库区水源保护区	损失补偿费	恢复补偿的规划指导:《国家"九五"计划和2010年远景目标纲要》、《21世纪初期首都水资源可持续利用规划》
④	水污染环境成本补偿	减少污水排放,降低水环境容量压力,恢复水体自净功能	污水排放企业、个人	水资源所有者——国家,水污染受害者	排污费(税)	
⑤	水资源使用权转让补偿	促进水资源合理配置与利用	水资源使用权转让需求方	水资源使用权转让方	水资源使用权补偿转让	恢复补偿费的监督管理:补偿费征收监督机制,补偿费使用监督机制

第十一章　结　语

第一节　主要研究结论

(1)针对目前地区水资源衰变现象与原因分析,论证了实施水资源恢复补偿的重要意义在于:水资源恢复补偿有利于维持水循环的正常稳定和水体自我修复能力,保证资源保护工作的良性开展,促进水资源可持续利用,从而保障经济社会持续发展。

(2)水资源恢复既考虑水资源数量的恢复,也考虑水体功能的恢复。在人类活动影响下,水资源数量与水体质量的可恢复性遵循水文循环原理和水量平衡规律,这也是水资源恢复补偿的水文学理论基础。

(3)水资源恢复既有工程性措施,也有非工程性措施,工程措施主要有水源保护工程、污水处理和资源化工程、节水工程、地下水回灌工程以及非常规水源利用工程等;非工程措施主要是实施法律措施、行政措施、宣传教育措施和经济措施等。水资源恢复与经济补偿的关系在于:实施水资源补偿能够利用其经济激励作用来促进水资源恢复,而且水资源补偿的利益协调作用也有利于水资源恢复;实施水资源补偿遵循"谁受益、谁补偿"、公平、合理、可操作以及可持续发展原则;衡量的标准采用效率与公平标准。

(4)从经济学角度分析研究提出水资源恢复的补偿经济理论基础。水资源恢复的补偿经济理论基础主要基于水资源具有价值的水资源价值补偿的理论基础;水资源准公共物品特性和水资源开发利用外部性的水资源公平合理开发利用补偿理论基础。

(5)水资源恢复的价值补偿。分析表明水资源价值补偿不足将影响水资源持续利用,而且水资源价值补偿是实现社会可持续发展的前提。水资源价值补偿主要从这几方面与水资源恢复相联系:①水资源价值补偿机制通过建立取水许可制度,指导取水者适度开发水资源,以促进水资源的恢复;②水资源价值补偿采取水资源费(税)征收制度,刺激用水者降低水资源利用量,起到恢复水源的目的;③水资源价值补偿通过补偿水资源价值耗费以及为水资源保护提供资金保障,同时也保障了水资源恢复的持续进行。

(6)竞争性用水的经济补偿。区域间的竞争性用水产生的外部性主要体现为一种是上游利用其占据的有利位置过多地用水,造成下游用水减少,导致下游经济发展受到影响;另一种是在有关政策要求下,上游限制用水以保障下游经济发展所需水量,从而导致上游经济发展受限。开展竞争性用水外部成本内部化,实现水资源合理利用,以促进水资源恢复是实施竞争性用水补偿的必然要求。合理计算区域竞争性用水缺水损失,制定有效的补偿与监督机制是解决竞争性用水问题的关键所在。

(7)水资源利用环境成本补偿。水资源的开发利用不可避免对环境造成一定的影响,即产生一定的环境外部成本。对于外部成本的评估方法大体可分为三类:直接市场法、替代市场法和意愿调查评估法。水资源环境外部成本的补偿可以通过制定排污收费制度和排污权交易制度来实现。有效的水资源利用环境成本补偿能够保障水体环境,促进水资源保护与恢复。

(8)水源涵养与保护的经济补偿。水源涵养与保护能有效改善水循环条件,改进水资源时程分配,有利于水资源持续利用;能改善水环境质量,对水资源的恢复具有极大的促进作用。水源涵养林建设与水源地发展结构调整是实施水源涵养与保护的主要措施,并产生了外部经济性。水源涵养与保护的经济补偿对水资源恢复具有极大的激励作用。有效的补偿形式与补偿标准是制定水源涵养与保护经济补偿机制的关键。

（9）以首都圈地区为例,进行了水资源恢复补偿实例研究。分析认为,北京市密云水库水源地水资源涵养保护的总补偿成本为 0.413 元/m^3,其中政策补偿成本 0.280 元/m^3,经济补偿成本 0.133 元/m^3;北京市水资源环境成本为 1.343 元/m^3,而目前征收的排污费征收标准仅为 0.90 元/m^3;研究提出首都圈水资源使用权转让补偿的前提是需要明确首都圈水资源初始权分配、建立水资源使用权交易市场、采取科学合理的节水措施和建立有效的监督约束机制,其转让方式采用损失补偿法、财政补贴、水价补偿和水权交易等。

第二节　研究难点与经验体会

一、研究难点

水资源恢复的补偿机制研究是一项非常重要和难度很大的研究课题,它涉及社会、经济、环境、资源、法律及工程技术等多学科、多领域,是一项政策研究与技术研究相结合、实践性又相当强的复杂研究系统。由于当前国内外可以借鉴的经验不多,更加增添了本书的难度。因此,作者在研究过程中深感每前进一步的艰辛与不易,遇到了重重困难:

（1）首先是对水资源恢复以及恢复补偿的认识与理解。由于恢复本身需要一个度的衡量,而水资源恢复又涉及可利用水资源数量与质量两方面的恢复,且与水资源的可恢复性机理密切相联。因此,要全面认识水资源恢复及以水资源恢复为目的的经济补偿不是一蹴而就的,需要长期的摸索与实践才能形成。

（2）水资源价值补偿是水资源补偿的难点之一。水资源作为国家的自然资源,其价值的科学核算本身就是一项具有相当难度的课题,如何有效地实施水资源价值补偿是实现水资源有偿使用制度的关键与难点。对此研究本书旨在抛砖引玉,更深入的研究有待继续。

(3)水资源补偿涉及的面非常广,除了文中提到的几类补偿形式外,对于地下水超采引起的水资源储存条件破坏的行为、挤占生态环境用水引起生态流失而产水条件破坏的取水行为等已知或未知的方面,由于受研究时间所限,文中未能全面考虑。

(4)水资源补偿是通过经济杠杆的调节作用来促进水资源的恢复,然而我国各地现实经济状况使水资源补偿机制实施到位还面临许多的困难,对建立的补偿机制其合理性难以得到有效分析。

(5)本书所进行系统的水资源恢复的补偿机制理论与方法探讨,在国内外尚未见到相似的系统研究。在探索过程中缺乏对比研究,因此研究的深度难以把握,甚至出现诸多不足之处也在所难免。

上述是作者在研究过程中意识到的难点,相信除此之外还有诸多困难与阻力,需要不断地去认识,并努力去克服。

二、经验体会

值得欣慰的是尽管遇到了各种困难,但依然取得了一些宝贵的经验和体会,为进一步的深入研究奠定了基础:

(1)总结了水资源恢复的补偿机制研究的现实意义。鉴于全球水资源面临日趋紧张的危机,进行合理的水资源开发利用经济补偿能恢复与保障水循环的正常进行,从而有效促进遭破坏水资源的恢复,逐步实现水资源的可持续利用。只有水资源的可持续开发,才会有生态的可持续保护,才会有环境、社会和经济的协调持续发展。水资源的恢复补偿是实现水资源可持续发展的必要环节。因此,深入开展水资源恢复的补偿机制研究将具有重大的理论与现实意义。

(2)水资源恢复的补偿机制研究具有科学的理论基础。水资源补偿分析的科学理论基础主要有：水循环规律、水资源可恢复性机理、经济学基础、水资源学基础以及水资源保护、规划的理论与方法等。这些理论为开展水资源恢复及补偿研究提供了基础与支撑。

（3）利用经济措施促进水资源恢复能起到事半功倍的成效。水资源恢复既可以采取法律措施、行政措施等"刚性"措施，也可以采用经济措施、教育措施等"柔性"措施，还可以采取刚柔结合的综合措施。随着市场经济体制的逐步完善，制度环境发生了深刻的变化，经济措施的激励作用日益凸现。本书研究证明，运用经济补偿方式激励用水者合理开发利用水资源，对促进水资源恢复能起到事半功倍的成效，有利于水资源危机的缓解。

（4）我国当前在水资源开发利用中存在严重的价值补偿不足。水资源作为国家所有的自然资源，蕴藏丰富的价值。然而，长期以来由于受计划经济体制下"资源无价"、"资源廉价"观念的影响，在水资源开发利用中存在严重的价值补偿不足，导致水资源危机的频频发生。确立起水资源的价值地位，建立起水资源有偿使用制度与价值补偿机制，保障水资源的可持续利用，是水资源恢复理论的重要内容。

（5）水资源价值传递与水文循环密切相关。水资源价值随着时间与空间的改变而发生传递，水资源价值的传递具有连续性与方向性，且在空间上传递的方向与水文循环方向相反。建立与水流循环相结合的水资源价值运移与传递模型，能充分认识水资源价值的变化规律，揭示水资源价值与水文循环的内在联系，为实现水资源价值合理补偿提供科学基础。

（6）合理开发利用水资源仍需进一步完善。水资源是稀缺的自然资源，水资源的持续利用要求合理地开发，以保障水资源的良性循环与水环境功能。然而，目前水资源不合理开发利用现象时而存在，诸如企业或个人排放的污水降低了下游或周围地区水环境容量,影响了水环境的自净能力;过度取用地表水或地下水造成正常水循环的破坏,影响水资源量的及时补给等。为此,需要采取措施加强与完善水资源的合理开发利用,包括采用经济补偿的激励方式。

第三节 建议与设想

水资源本身的复杂性和作者知识的局限且受时间限制等因素制约,本书对某些论点的阐述尚较粗浅。为了进一步发展与完善水资源补偿的理论与方法,作者认为应对如下问题做进一步研究:

(1)综观国内外资源保护研究,尚未有系统的水资源补偿理论。本书对水资源补偿理论与方法进行了初步的探讨,但是依然未能形成全面的理论体系,需要进一步结合微观经济学、环境经济学与管理学、价值论等相关理论在实践中深入研究,逐步完善。

(2)竞争性用水补偿涉及水权的分配与交易,由于市场经济下水市场是不完备的市场,水权交易缺乏理论与法律基础。因此,本书在对竞争性用水补偿研究时尚未能从水权交易的市场条件下建立上下游、地区间水资源的公平合理利用。关于竞争性用水水权交易机制还有待进一步研究。

(3)正如文中所界定的水资源利用环境成本的含义,其不仅包括污水排放与治理引起的损失和成本,地下水资源开发利用过程造成生态环境破坏也是水资源不当利用引发的环境成本。为了阻止由于地下水不合理开发引起环境破坏,在今后的研究中还需为建立有效的经济激励机制,刺激纠正不适当的地下水开发行为提供理论依据。

(4)由于作者受现有知识水平与研究时间限制,本书尚未对目前因水资源短缺出现生产生活用水挤占环境用水的补偿问题进行研究。自然环境是水文循环的天然场所和影响因素,为了恢复有利于水文循环的自然环境,今后需要进一步建立经济补偿约束机制,限制对环境用水的挤占。

(5)对与水资源恢复目的直接或间接相关的经济激励机制,本书主要是探讨了经济补偿的理论体系与实施方法,尽管有对补偿的监督机制进行探讨,但都是非常不成熟、不完善的。水资源恢复经济补偿的法律法规保障体系研究急需在今后的工作中开展。

在本书研究和写作过程中,作者深切感到自己多方面理论知识的不够,又因水资源恢复的补偿机制研究是一项新的研究领域,尚未有成形的理论体系可供借鉴,而且涉及专业面广且已超出了目前自己的学术认知能力,作者也是在边学习边摸索中一点一点前进。因此,本书不免存在着诸多问题与不足,甚至出现错误,敬请诸位批评指正。作者深切希望在今后的进一步研究工作中,能够继续得到诸位的帮助和指教。

参 考 文 献

[1] 陈大夫.环境与资源经济学.北京:经济科学出版社,2001

[2] 陈国安,王愉吾.污染控制的两种主要经济手段.地质技术经济管理, 2002,24(3)

[3] 陈家琦,王浩.水资源概论.北京:中国水利水电出版社,1996

[4] 陈灵芝,陈伟烈.中国退化生态系统研究.北京:中国科技出版社,1995

[5] 陈伟.环境中的外部性及其内部化.环境与开发,2001,16(4)

[6] 丛兴武,等.浅析丰宁县公益林补偿机制及所发挥的重要作用.河北林业科技,2001(1)

[7] 崔保山,刘兴土.湿地恢复研究综述.地球科学进展,1999,14(4)

[8] 邓礼发.国有林场建立新型森林资源补偿机制的探讨.林业经济问题, 1999(2)

[9] 窦文章,杨开忠,李国平."密云现象"的经济学分析及其政策含义.经济地理,2000,20(6)

[10] 段显明,许政,林永兰.关于森林生态效益经济补偿机制的探讨.林业经济问题,2001,21(2)

[11] 方国华,谈为雄,陈永奇,等.论水资源费的性质和构成.河海大学学报, 2000,28(6)

[12] 傅国伟,王永航.排污收费标准制定理论及技术方法研究.环境科学学报,1997,17(3)

[13] 郭伟和.福利经济学.北京:经济管理出版社,2001

[14] 韩素华.市场条件下农业水资源高效利用模式研究:[学位论文].北京:中国水科院,2001

[15] 何立胜,韩云昊.外部性问题及其内部化途径.河南师范大学学报(哲学社会科学版),1999,26(4)

[16] 何文君,文启湘.公共物品的外部性及对我国公共消费制度的思考.洛阳工学院学报(社会科学版),2001,19(4)

[17] 黄春苑.认识水的商品性,建立水市场.水资源研究,2002,23(4)

[18] 黄国如,胡和平,尹大凯.考虑地下水人工回灌的灌区水资源管理研究.灌溉排水,2001,20(3)

[19] 黄永基,陈元芳.浅议完善水资源有偿使用制度.中国水势网,2002,7.25

[20] 姜文来.水资源价值论.北京:科学出版社,1999

[21] 蒋升阳,冯建维.扎龙补水谁来埋单.中国水利科技信息网,2003,6.13

[22] 李洪江,潘洪清.论公共物品的提供.中国煤炭经济学院学报,2000(4)

[23] 李金昌,姜文来,靳乐山,等.生态价值论.重庆:重庆大学出版社,1999

[24] 李克国,水资源补偿政策刍议.水资源保护,2003,19(2)

[25] 李寿德,仇胜萍.排污权交易思想及其初始分配与定价问题探析.科学学与科学技术管理,2002,23(1)

[26] 李文学.黄河断流的思考.'99中国青年科技论坛论文集.北京,1999

[27] 李晓钟.水资源有偿使用机制探讨:[学位论文].杭州:浙江大学,1991

[28] 梁山,赵金龙,葛文光.生态经济学.北京:中国物价出版社,2002

[29] 廖浪涛,丁胜,吴水荣.密云水库水源涵养林生态效益的评价与补偿.林业建设,2000(6)

[30] 林家彬.日本水资源管理体系及借鉴.中国农村水电及电气化信息网,2002,11.15

[31] 刘昌明.发挥南水北调的生态效益修复华北平原地下水.水信息网,2003

[32] 刘光中,李晓红.污染物总量控制及排污收费标准的制定.系统工程理论与实践,2001,21(10)

[33] 刘红,唐元虎.外部性的经济分析与对策——评科斯与庇古思路的效果一致性.南开经济研究,2001(1)

[34] 刘杰,姜文来,任天志.农业用水使用权转让补偿机制初步探讨.水问题论坛,2002(2)

[35] 陆新元.排污收费制度.北京:中国环境科学出版社,1994

[36] 骆玉霞,张坤民.可持续发展中的城市水价改革.北京:中国环境科学出版社,2000

[37] 马中,Dan Dudek.论总量控制与排污权交易.中国环境科学,2002,22(1)

［38］马中,杜丹德.总量控制与排污权交易.北京:中国环境科学出版社,
1999

［39］马中.环境与资源经济学概论.北京:高等教育出版社,2000

［40］毛文佩.排污收费制度在环境管理应用中存在的若干问题.上海环境科
学,2001,21(3)

［41］密云、怀柔水库水源保护林建设.首都绿化林业政务网,2002,5.22

［42］倪学明,陈路,周远捷.东湖水生植被恢复与调控技术研究.中国湿地研
究.长春:吉林科学技术出版社,1995

［43］彭少麟.恢复生态学与退化生态系统的恢复.中国科学院院刊,2000,3

［44］清华大学.水资源补偿机制与恢复机制研究报告,2002,11

［45］任海,彭少麟.中国南亚热带退化生态系统恢复及可持续发展.见:中国
科协第三界青年学术研讨会论文集.北京:中国科技出版社,1998

［46］阮本清,梁瑞驹,王浩,等.流域水资源管理.北京:科学出版社,2001

［47］阮本清,张春玲.水资源价值运移传递过程研究.水利学报,2003(9)

［48］阮本清,张春玲.水资源价值流的运移传递改进模型.水利学报,
2005,36(4)

［49］桑燕鸿,吴仁海.关于环境补偿制度的探讨.云南地理环境研究,2001,
14(1)

［50］沈大军,梁瑞驹,王浩,等.水价理论与实践.北京:科学出版社,1999

［51］沈大军,朴哲浩.浅谈水资源费.中国水利,2000(2)

［52］沈满洪,何灵巧.外部性的分类及外部性理论的演化.浙江大学学报(人
文社会科学版),2002,32(1)

［53］沈满洪.环境经济手段.北京:中国环境科学出版社,2001

［54］世界银行.蓝天碧水——展望21世纪的中国环境.北京:中国财政经济
出版社,1997

［55］宋晓华,郑小贤,杜鹏志,等.公益林经济补偿的研究.北京林业大学学
报,2001,23(3)

［56］孙春燕,陈耀辉.环境污染的经济学分析.荆州师专学报(社会科学版),
1998(4)

［57］孙毅,张如石.补偿经济论.北京:中国财政出版社,1991

［58］孙毅,等.《我国资源利用与环境保护中价值补偿》研究报告.吉林大学

环境科学与工程系,2001,3

[59] 陶屹,陆根法,钱瑜.对在我国开征环境税的探讨.环境保护科学,2001,27(108)

[60] 万育生,靳顶.北京及上游周边地区水资源问题对策研究.水资源保护,2002(1)

[61] 汪恕诚.资源水利——人与自然和谐相处.北京:中国水利水电出版社,2002

[62] 王春元,杨永江.水资源经济学及其应用.北京:中国水利水电出版社,1999

[63] 王浩,阮本清,沈大军.面向可持续发展的水价理论与实践.北京:科学出版社,2003

[64] 王浩,秦大庸,王建华.多尺度区域水循环过程模拟进展与二元水循环模式的研究.见:黄河流域水资源演化规律与可再生性维持机理研究和进展.郑州:黄河水利出版社,2000

[65] 王金南.排污收费理论学.北京:清华大学出版社,1997

[66] 王新荣,范玉青.基于精益生产的企业价值流的研究.制造业自动化,2002,24(8)

[67] 王永安.森林生态效益的经济补偿.北京林业大学学报,1999(增刊)

[68] 王志民.遏制海河流域生态环境恶化刻不容缓.http://www.hwcc.com.cn,2002,3.15

[69] 温淑瑶,周之豪,马毅杰.苏南太湖地区水资源价值补偿对物价水平的影响研究.长江流域资源与环境,2000,9(1)

[70] 吴国平.应建立水资源有偿使用和补偿机制.中国水利报,2001-01-01

[71] 吴季松.合理水价形成机制初探.中国水利,2001,3

[72] 吴季松.现代水资源管理概论.北京:中国水利水电出版社,2002

[73] 吴水荣,马天乐.水源涵养林生态补偿经济分析.林业资源管理,2001,1(1)

[74] 肖江文,罗云峰,赵勇,等.排污权交易制度与初始排污权分配.科技进步与对策,2002,19(1)

[75] 熊正为.水资源污染与水安全问题探讨.中国安全科学学报,2000,10

(5)

[76] 辛长爽,金锐.水资源价值及其确定方法.水资源研究,2002,13(4)

[77] 薛达元.环境物品的经济价值评估方法:条件价值法.农村生态环境,1999,15(3)

[78] 阎胜利,周之豪.关于地下水资源开发的外部性探讨.河海大学学报,1998.26(4)

[79] 阎玉德,张璞,李秀敏,等.郑州市总量排污收费试点方案的理论依据和制定原则.重庆环境科学,2001,23(3)

[80] 杨从明.浅论生态补偿制度建立及原理.林业与社会,2005,13(1)

[81] 游进军.以色列水资源及利用基本状况.中国水利科技信息网,2003

[82] 余新晓.关于建立水土保持生态效益补偿制度的思考.中国水土保持,1994(6)

[83] 余作岳,彭少麟.热带亚热带退化生态系统植被恢复生态学研究.广州:广东科技出版社,1997

[84] 袁弘任,吴国平,洪一平,等.水资源保护及其立法.北京:中国水利水电出版社,2002

[85] 曾维华,杨志峰,蒋勇.水资源可再生能力刍议.水科学进展,2001,12(2)

[86] 张春玲,阮本清.水资源恢复补偿经济理论分析.水利科技与经济,2003,9(1)

[87] 张春玲,阮本清,刘云,等.论竞争性用水的经济补偿机制.中国水利水电科学研究院学报,2005,3(3)

[88] 张春玲,阮本清.水源林效益评价与补偿机制.水资源保护,2004,20(2)

[89] 张帆.环境与自然资源经济学.上海:上海人民出版社,1998

[90] 张晓玲,何轶雯.价值流——企业构建质量管理体系的基础.东南大学学报(哲学社会科学版),2002,4(4)

[91] 张学峰,梁海燕,贾繁信.建立水资源污染补偿制度的意义.水资源保护,2001(1)

[92] 章家恩,徐琪.恢复生态学研究的一些基本问题探讨.应用生态学报,1999,10(1)

[93] 章家恩,徐琪.生态退化研究的基本内容与框架.水土保持通报,1998,

17(3)

[94] 赵晓兵.污染外部性的内部化问题.南开经济研究,1999(4)

[95] 赵晓英,孙成权.恢复生态学及其发展.地球科学进展,1998,13(5)

[96] 赵勇,祝飞,岳超源.排污收费的定价模型探讨.华中理工大学学报,1999,27(4)

[97] 中国国际环境与发展合作委员会.中国自然资源定价研究.北京:中国环境科学出版社,1997

[98] 中共中央宣传部教育局,水利部办公厅.水资源问题与对策.北京:学习出版社,2002

[99] 周国逸,阎俊华.生态公益林补偿理论于实践.北京:气象出版社,2000

[100] 周玉玺,胡继连.基于水资源外部性特征的配置制度安排研究.山东科技大学学报(社会科学版),2001,4(1)

[101] 朱庚申.资源补偿不足问题及其对策.中国环境科学,1995.15(1)

[102] 朱宏寨,陈彦.合理利用和保护水资源的经济分析及措施.西南民族学院学报(哲学和社会科学学报),2002,23(3)

[103] 朱洪强.谈生态系统的恢复.吉林农业大学学报,2002,22(专辑)

[104] 朱永杰.试论建立森林生态效益经济补偿制度.北京林业大学学报,1995(增刊)

[105] 庄国泰,高鹏.中国生态环境补偿费的理论与实践.中国环境科学,1995,15(6)

[106] 宗臻铃,欧名豪.长江上游地区生态重建的经济补偿机制探析.长江流域资源与环境,2001,10(1)

[107] Adamus P R. Choices in monitoring wetlands[A]. In: Mckenzie D H. Hyatt D E. McDonald V J. eds. Ecological indicators[C]. Barking: Elsevier Science Publishers Ltd,1992

[108] Ambasht R S, Kumar R, Srivastava N K. Strategy for managing the Rihand River riparianecosystem deteriorating under rapid industrialization. In: Mitsch W J. ed Global wetlands: old and new. Elsevier, Netherlands, 1994

[109] Armitage D. An integrative methodological framework for sustainable environmental planning and management. Environmental Management,

1995,19(4)

[110] Beifuss R D, Barzen J A. Hydrological wetland restoration in Mekong Delva. Vietnam. In: Mitsch W J. ed Global wetlands: old and new. Elsevier, Netherlands, 1994

[111] Bernstein, Janis D. Alternative approaches to pollution control and waste management: regulatory and economic instruments. The World Bank, 1993

[112] Bigford T E. Habitat mitigation[A]. In: Sherman K. Norbert A J. Smayda T J. eds. The Northeast Shelf Ecosystem: Assessment. Sustainability and Management[C]. New York: Blackwell Science, 1996

[113] Bohn B A, Kershner J L. Establishing aquatic restoration priorities using a watershed approach. Journal of Environmental Management, 2002, 64

[114] Cairns. J Jr. Restoration ecology. Encyclopedia of Environmental Biology, 1995, 3

[115] Coles B J. Archaeology and wetland restoration[A]. In: Wheeler B D. Shaw S C. Fojt W J. et al eds. Restoration of Temperate Wetlands[C]. Chichester: John Wiley & Sons Ltd, 1995

[116] Crance C, Draper D. Socially cooperative choices: An approach to achieving resource sustainability in the coastal zone. Environmental Management, 1996, 20(2)

[117] Dikshit A K, Loucks D P. Estimating non – point pollutant loadings – Ⅱ: A case study in the Fall creek watershed. New York. Environmental Systems, 1996~97, 25(1)

[118] Faber P. Marsh restoration with natural revegetation: a case study in San Francisco bay[J]. Coastal Zone, 1983

[119] Falk D A, Millar C I & Olwell M. Restoring Diversity Strategies for Reintroduction of Endangered Plants. Washington DC: Island Press, 1996

[120] Harwell M A, Long J F, Bartuska A M, et al. Ecosystem management to achieve ecological sustainability: The case of South Florida[J]. Environmental Management, 1996, 20(4)

[121] Henry C P, Amoros C. Restoration ecology of riverine wetlands (Ⅰ): A

scientific base[J]. Environmental Management,1995,19(6)

[122] Henry C P,Amoros C,Giuliani Y. Restoration ecology of riverine wetlands (II): An example in a former channel of the Rhone River[J]. Environmental Management,1995,19(6)

[123] Hobbs R J,Norton D A. Towards a conceptual framework for restoration ecology. Restoration Ecology,1996,4(2)

[124] Seyam I M,Hoekstra A Y. The Water Value – Flow Concept. Technische Universiteit,Delft,2000

[125] John Cairns Jr. Setting ecological restoration goals for technical feasibility and scientific validity. Ecological Engineering,2000,15

[126] John Cairns Jr. Balancing ecological destruction and restoration: the only hope for sustainable use of the planet. Aquatic Ecosystem Health and management,1999,2

[127] Johnston C A. Ecological engineering of Wetland by Beavers. In: Mitsch W J. ed Global wetlands: old and new. Elsevier, Netherlands, 1994

[128] Jordan W III ,Gilpin M E,Aber J D. Restoration Ecology: A Synthetic Approach to Ecological Restoration. Cambridge: Cambridge University, 1987

[129] Jordan W R III . Ecological restoration as the basis for a new environmental paradigm. University of Minnesota Press,1995

[130] Joy B Zedler. Progress in wetland restoration ecology. Tree,2000,vol. 15, no. 10

[131] Koerselman W,Verhoeven J T A. Eutrophication of fen ecosystems: external and internal nutrient sources and restoration strategies[A]. In: Wheeler B D. Shaw S C. Fojt W J. et al eds. Restoration of Temperate Wetlands[C]. Chichester: John Wiley & Sons Ltd,1995

[132] Kusler J A,et al. Wetland. Scientific American, 1994,1

[133] Larsson T. Controle des roseux et conservation des zones humides: Bulletin Mensual de I'office National de la Chasse. 1994

[134] Lawrence D P. Integrating sustainability and environmental impact assessment. Environmental Management,1997,21(1)

[135] Lucas Mark, et al. Controlling iron concentrations in the recovered water from aquifer storage and recovery(ASR) wells. In : Proceeding of the 2nd International Symposium on Artificial Recharge of Ground Water. ASCE, 1994

[136] Mark B Bain, Amy L Harig, Daniel P Loucks, et al. Aquatic ecosystem protection and restoration: advances in methods for assessment and evaluation. Environmental Science & policy, 2000, 3

[137] Mistch W J, et al. Wetland of the old and new world: ecology and management. In: Mitsch W J. ed Global wetland: old and new. Elsevier. Netherlands, 1994

[138] Mitsch K J, Wu X Y, Robert W, et al. Creating and restoring wetland. Bio Science, 1998, 48(12)

[139] Becker N. A comparative analysis of water price support versus drought compensation scheme. Agriculture Economics, 1999, 21

[140] Odum W E. Predicting ecosystem development following creation and restoration of wetlands[A]. In: Zelasny J. Feierabend J S. ed. Wetlands – proceedings of the national wildlife federation corporate conservation council conference[C]. Washington: Mayflower Hotel Washington D C, 1987, 58~62

[141] Okruszko H. Influence of hydrological differentiation of Fens on their transformation after Dehydration and Possibilities for Restoration [A]. In: Wheeler B D. Shaw S C. Fojt W J. et al. Restoration of Temperate Wetlands[C]. Chichester: John Wiley & Sons Ltd, 1995

[142] Pandey J S, Khanna P. Sensitivity analysis of a mangrove ecosystem model. J Environmental Systems, 1997~1998, 26(1)

[143] Parham W. ed. Improving Degraded Lands: Promising Experience Form South China. Honolulu: Bishop Museum Press, 1993

[144] Pyne R, David G. Groundwater recharge and wells: a guild to aquifer storage recovery. Boca Raton: Lewis Publishers, 1995

[145] Race M S. Wetlands restoration and mitigation policies: reply. Environmental Management, 1986, 10(5)

[146] Saunders A, Norton D A. Ecological restoration at Mainland island in New Zealand. Biological Conservation, 2001, 99

[147] Seyam I M, Hoekstra A Y. The Water Value – Flow Concept. Technische Universities Delft, 2000

[148] Straussfogel D. An evolutionary systems approach to policy intervention for achieving ecologically sustainable societies. Systems Practice, 1996, 9 (5)

[149] Todd Shallat. Ecology in policymaking: Water and the restoration of America's Snake River Plain. Water Policy, 2000, 2

[150] UN. Water Development and Management. In: Proceeding of the UN Water Conference 1977. Part 4. Oxford: Programon Press, 1978

[151] US National Research Council. Restoration of Aquatic Ecosystem. Nat Acad Press. Washington D C, 1992

[152] Wheeler B D. Introduction: Restoration and wetlands[A]. In: Wheeler B D. Shaw S C. Fojt W J. et al eds. Restoration of Temperate Wetlands[C]. Chichester: John Wiley & Sons Ltd, 1995

[153] William F Hartwig. Restoration and Compensation Determination Plan. Stratus Consulting Inc., 2000, 10

[154] 21世纪初期北京水资源可持续利用规划小组. 21世纪初期(2001～2005)首都水资源可持续利用规划资料汇编. 北京, 1999